フリーランス 自営業者

個人事業の経理と節税

'25年版

成美堂出版

e-TAX申告（電子申告）を覚えて
65万円控除を手に入れよう！

長年お世話になった
デザイン事務所を退職して
いよいよ独立開業！

がんばって！

しかし、経理はおろか…
計算がからきし苦手…。

少しでも
節税したいのに…

締め切りに
追われて領収証
がこんなに……

確定申告の
ときにまとめて
やれば？

ごっちゃり

わたしは
いつもそうよ

エヘヘヘ

ちょっと
待ったぁー
ー！！

手伝いに
来ている友人
（デザイナー）

領収証は覚えている
うちにまとめて
おかないと、
作業に無駄な時間が
かかりますよ！
➡ 25ページ

個人事業者の味方
青木先生

やっ

だれ？

だったら**会計ソフト**を使いましょう！最低限の簿記の知識で帳簿づけができますよ！
➡150ページ

白色申告者も2014年度から帳簿の記録、保存が義務づけられたので、どうせ帳簿をつけるなら「青色申告」にしたらいかがですか？

青色申告？

青色申告は所得税の申告方法の1つです

青色申告者は帳簿づけを行って1年間の所得金額を確定し、その額に応じた所得税を納税します ➡39ページ

1月1日から12月31日まで毎日・毎月帳簿をつけながら事業を行う

帳簿の結果を青色申告決算書にまとめて「利益を確定」する

決算書

翌年2～3月に税務署に申告・納税する

税務署

ふむふむ

メモメモ

「利益を確定する」ために事業でのお金の出入りを正確に帳簿に記録することが義務づけられているんですよ

簿記の流れがわかれば決算は簡単!

「難しそう…」「数字は苦手」という人でも青色申告はできます!

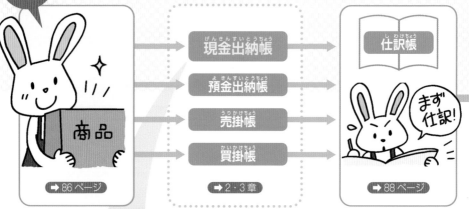

取引発生

→86ページ

現金出納帳（げんきんすいとうちょう）
預金出納帳（よきんすいとうちょう）
売掛帳（うりかけちょう）
買掛帳（かいかけちょう）

→2・3章

仕訳帳（しわけちょう）

まず仕訳!

→88ページ

昔

現金出納帳（げんきんすいとうちょう）の記入
基本中の基本の帳簿

現金の出入りを記入する帳簿です。
基本的な書き方は小遣い帳と同じで、
入金と出金と残高を記入します。

現金出納帳

月	日	勘定科目	摘　要	入　金	出　金	残　高
10	1		前月から繰越			58,321
10	1	普通預金	預金引出	30,000		88,321
10	1	消耗品費	ボールペン替え芯		1,000	87,321
10	2	雑収入	古本売却	560		87,881
10	3	荷造運賃	宅配便		840	87,041

ボールペンを購入 100円

100円

ください〜!

現金で購入したらこの帳簿に記入!

→100ページ

下の図は青色申告決算書を作成するまでの簿記の基本的な流れです。
初めて帳簿づけをする人はまずこの流れを覚えましょう！

総勘定元帳（そうかんじょうもとちょう）

元帳転記！

➡ 92 ページ

試算表（しさんひょう）

残高チェック！

➡ 94 ページ

これを12か月続けて…

完成

青色申告決算書

➡ 96 ページ

65万円控除* Get！

*電子申告の場合

今

現金出納帳（げんきんすいとうちょう）への入力
会計ソフトなら転記不要！

いまや帳簿作成に手書きは不要！
スキャナーやスマートフォンを利用
すれば入力作業も自動化されます！

レシートをスキャンして
会計ソフトに読み込む

帳簿できた！

速い！

現金出納帳へ自動的に入力される
各帳簿への転記も会計ソフトがやってくれる

レシートをスマートフォンで
撮影して会計ソフトにアップロード

データ連携とは、販売管理ソフトや銀行預金、領収
証などのデータを会計ソフトにインポートすること
です。帳簿作成が省力化できます。➡ 151 ページ

仕訳帳	すべて手作業 手書き	会計ソフトに入力 入力作業	データ連携 スキャンなど
総勘定元帳作成	転記（手作業）	転記不要	転記不要
試算表作成	転記（手作業）	転記不要	転記不要
決算書作成	転記（手作業）	転記不要	転記不要

個人の財布と仕事の財布を分けよう

経理事務をラクにこなすための基本はコレ！

個人事業で起こりがちなのが仕事のお金とプライベートのお金の区別がつかなくなること。公私のお金を区別すると、帳簿への記入がカンタンになるし、無駄な経費も削減できますよ！

きちんと分けていると……

別々の領収証をお願いします

個人用 → 仕事用 NOTE

きょうの取引、入力完了！

事務所の家賃は仕事用の口座から振り込み

個人用通帳 → BANK　ATM　BANK ← 仕事用通帳

仕事でのお金のやりとりがはっきりわかるから帳簿への入力がラクラクできる

速！

ごっちゃになっていると……

あとで分ければいいから同じ領収証でいいか……

個人用 → ノート ← 仕事用

どれが仕事の取引だったのかがぜんぜんわからない…

困った……

おっ、A社から入金があったなきょうは外食するか

ATM　BANK

仕事と個人のやりとりがごっちゃ…

今月の利益はいったい何円なの？

個人事業の経理と節税 '25年版 もくじ

3 章　青色申告決算書にある勘定科目

4 章　多桁式現金出納帳で簡単記帳

5 章　会計ソフトでラクラク帳簿作り

6 章　決算の手続きと青色申告決算書の作り方

7 章　所得税の確定申告書を作ろう

8 章　消費税の確定申告書を作ろう

コラム Column ▶▶▶▶▶

※本書の内容は原則として 2024 年 10 月時点での情報に基づいています。

●本文デザイン：株式会社ウエイド

●本文イラスト：あべかよこ

●編集協力：パケット

勘定科目　早わかり表

取引の内容から勘定科目がわかるさくいんです。
処理のしかたについては参照ページを参考にして
ください。

＊「10万円未満」「10万円以上」とあるのは取得価額のこと。

取引内容	勘定科目	参照ページ
あ行		
アウトソーシング費用	外注工賃	129
アルバイト代	給料賃金	135
慰安旅行費用	福利厚生費	135
いす（10万円未満）	消耗品費	133
いす（10万円以上）	工具器具備品	134
一時的な収入（臨時収入）	雑収入	129
印鑑	消耗品費	133
飲食代（打ち合わせ時）	打合会議費	136
飲食代（接待）	接待交際費	132
インターネット回線使用料	通信費	134
売上代金	売上	113
売上代金の未回収分	売掛金	115
運送保険料	損害保険料	135
運送料	荷造運賃	133
お祝い金（従業員の結婚など）	福利厚生費	135
お祝い金（取引先）	接待交際費	132
お歳暮	接待交際費	132
お茶代（打ち合わせ時）	打合会議費	136
お茶代（社内飲料用）	福利厚生費	135
お中元	接待交際費	132

取引内容	勘定科目	参照ページ
か行		
カーテン（10万円未満）	消耗品費	133
カーテン（10万円以上）	工具器具備品	134
開業資金	元入金	126
会場使用料（会議用、打ち合わせ用）	打合会議費	136
会場使用料（展示会用）	広告宣伝費	131
回数券（電車、バスなど）	旅費交通費	130
解約手数料	支払手数料	136
書留料金	通信費	134
火災保険料	損害保険料	135
菓子代（打ち合わせ時）	打合会議費	136
ガス料金	水道光熱費	134
ガソリン代	旅費交通費	130
カタログ制作費	広告宣伝費	131
借入金の利子支払い	利子割引料	136
カレンダー	消耗品費	133
カレンダー制作費（事業名入り）	広告宣伝費	131
歓送迎会費（従業員）	福利厚生費	135
寒中見舞い	広告宣伝費	131
看板制作費	広告宣伝費	131
観葉植物（事務所用）	雑費	136
キーボード	消耗品費	133

取引内容	勘定科目	参照ページ
機械装置 (10万円未満)	消耗品費	133
機械装置 (10万円以上)	機械装置	134
切手代	通信費	134
キャビネット	消耗品費	133
求人広告費用	広告宣伝費	131
給与 (従業員)	給料賃金	135
給与 (専従者)	専従者給与	135
給与の源泉分	預り金	135
共益費	地代家賃	132
記録媒体 (DVD-R、CD-Rなど)	消耗品費	133
クリーニング (店舗制服など)	福利厚生費	135
クリーニング (店舗テーブルクロスなど)	衛生費	136
クレジットカード会費	雑費	136
蛍光灯	消耗品費	133
掲示板 (ホワイトボードなど)	消耗品費	133
携帯電話通話料	通信費	134
ケーブル類 (パソコン、テレビ用など)	消耗品費	133
工具 (店舗などの機械工具) (10万円未満)	消耗品費	133
工具 (店舗などの機械工具) (10万円以上)	工具器具備品	134
航空運賃	旅費交通費	130
広告代 (新聞、WEBほか)	広告宣伝費	131
高速道路料金	旅費交通費	130
香典 (従業員)	福利厚生費	135

取引内容	勘定科目	参照ページ
香典 (取引先)	接待交際費	132
コーヒー代 (打ち合わせ時)	打合会議費	136
コーヒー代 (社内飲料用)	福利厚生費	135
固定資産税	租税公課	131
固定電話代	通信費	134
コピー機購入 (10万円未満)	消耗品費	133
コピー機購入 (10万円以上)	工具器具備品	134
コピーのトナー	消耗品費	133
コピー用紙	消耗品費	133
ゴミ収集費用 (ゴミ収集シール、ゴミ袋など)	雑費	136
ゴミ箱	消耗品費	133
ゴム印	消耗品費	133
ゴルフ・プレー代 (接待)	接待交際費	132
さ行		
仕入代金	仕入	119
仕入代金の未払分	買掛金	121
敷金	敷金	132
事業案内制作費 (ホームページなど)	広告宣伝費	131
事業所税	租税公課	131
事業税	租税公課	131
自転車 (10万円未満)	消耗品費	133
自転車修理代	修繕費	135
自動車(事業用)(10万円未満)	消耗品費	133
自動車(事業用)(10万円以上)	車両運搬具	134
自動車修理代	修繕費	135
自動車の各種税金	租税公課	131

勘定科目 早わかり表

取引内容	勘定科目	参照ページ
自動車任意保険料	損害保険料	135
自動車用メンテナンス用品(エンジンオイルなど)	修繕費	135
自賠責保険料	損害保険料	135
事務所の修繕（リフォームなど）	修繕費	135
事務所の家賃	地代家賃	132
車検費用	修繕費	135
謝礼金（取引先など）	接待交際費	132
収入印紙	租税公課	131
祝電（取引先）	接待交際費	132
出張時の交通費	旅費交通費	130
出張での宿泊代	旅費交通費	130
消火器	雑費	136
正月用飾り	雑費	136
上・下水道料金	水道光熱費	134
消費税	租税公課	131
常備薬	福利厚生費	135
証ひょう類	消耗品費	133
賞与（従業員）	給料賃金	135
賞与（専従者）	専従者給与	135
暑中見舞い	広告宣伝費	131
食器（会議用、打ち合わせ用）	打合会議費	136
新聞代	新聞図書費	129
スタンプ台	消耗品費	133
税理士顧問料	支払報酬	129
石けん	消耗品費	133

取引内容	勘定科目	参照ページ
洗剤	消耗品費	133
餞別（取引先）	接待交際費	132
倉庫代	地代家賃	132
掃除用具（洗剤など）	消耗品費	133
掃除用具（掃除機、雑巾など）	消耗品費	133
速達料金	通信費	134
損害保険料	損害保険料	135
た行		
ダイレクトメール制作費	広告宣伝費	131
タクシー代	旅費交通費	130
宅配便代（商品発送）	荷造運賃	133
宅配便代（書類など）	通信費	134
ダンボール箱（事務で使用）	消耗品費	133
仲介手数料	支払手数料	132 136
駐車料（コインパーキングなど）	旅費交通費	130
駐車料（月極駐車料）	地代家賃	132
弔電（取引先）	接待交際費	132
チラシ制作費	広告宣伝費	131
机(作業用テーブルなど)(10万円未満)	消耗品費	133
机(作業用テーブルなど)(10万円以上)	工具器具備品	134
定期券代	旅費交通費	130
ティッシュペーパー	消耗品費	133
手帳	消耗品費	133
手土産代（取引先）	接待交際費	132
テレビ放送受信料	雑費	136

帳簿には「儲け」のヒントが詰まっている

●白色でも帳簿作成義務が！　だったら青色申告にしては？

　本書は、独立開業を決意して準備を始めた方を主な対象として、開業の届出から初めての確定申告までの間に必要な手続きや、経理、税務の実務について解説しています。

　個人事業主には、「所得税の確定申告」の義務があります。そして、確定申告には青色申告と白色申告の２種類の制度があります。青色申告者には55万円または65万円の青色申告特別控除など各種の優遇措置が設けられており、この適用を受けるためには帳簿作成と領収証等の保管が要件となっています。かつては簿記や経理の知識に乏しいという理由で白色申告を選択していた方がいましたが、現在では、青色申告ほど面倒ではありませんが、白色申告でも記帳や保管が義務づけられています。また、高機能かつ初心者でも使いやすい会計ソフトの登場で、青色申告でも白色申告でも作業のわずらわしさはさほど変わらなくなっています。

　白色申告でも青色申告と作業の手間が変わらないのであれば、青色申告を選択しない理由はありません。帳簿をきちんと作成し、書類を保管して青色申告制度を有効活用しましょう。

白色でも帳簿作成義務がある。だったら青色申告にしよう！

●「儲けを知るための帳簿づけ」という意識に変える

　帳簿は原則として毎日記入するものです。毎日書くと言えば日記があります
ね。最近ではブログが日記代わり、なんていう方もいるでしょう。日記やブロ
グは途中でやめたり、気まぐれに書かない日があったりしても誰にもとがめら
れるわけではありません。しかし、帳簿は毎日コツコツ継続して書き続けるの
が原則です。今日やらなければ明日、１週間記入しなければ１週間分をまとめ
て記入することになります。

　そして、帳簿にはすべての取引を漏らさず記入する必要があります。なぜな
らば、ビジネスによる利益を正確に計算するためです。帳簿記入が面倒くさい
と思っているそこのあなた、今日からその意識を改めなくてはいけません。独
立開業したらあなたは経営者。経営者の本分は稼いで儲けることです。自分の
思い通りのビジネスを展開し、今までよりもよい環境を手に入れるために独立
を決意したのではありませんか？　今までよりも収入を増やすために独立した
のですよね？　ならば、どれだけ儲かっているのかを知りたくないですか？

　儲けがいくらなのか？ という情報は、正確な記録から計算された結果によっ
てしか知ることができません。正確な利益計算は、きちんと帳簿をつけること
から始まるのです。「儲けを知るために帳簿をつけている」という意識改革が
必要なのです。

「儲けを知るために帳簿をつけている」という意識改革を！

●最低限の知識で帳簿はつけられる

「帳簿は毎日つけることを習慣にしてください。」

どの顧問先に対してもわたしのアドバイスは変わりません。なぜならば、後回しにすることでツケが回ってくることを知っているからです。

ここまで言っても「自分は毎日店頭で売上はチェックしているし、帳簿作成なんか後でいいだろう」と思っている方、イエローカードです。

自分の「好きなこと」を仕事にした場合、その「好きなこと」には、時間も努力も惜しみなく投下できます。「なんとなくお金も回っているし、帳簿なんかつけなくても大丈夫、後で集計すればいいんでしょ？」と妙な自信を持っている方がいます。本当にそれでいいのですか？　頑張って始めたビジネス、継続し成長するのが目標のはず。そのためには、「お金」が必要なのです。なんとなく回っているから……ではいけません。お金をきちんと管理するとビジネス全体が見えるようになってきます。もちろんお金以外にも、顧客データ、従業員、商品やサービスの内容、毎日の売上データの内訳…管理しなければならないものがたくさんあります。これらの情報と合わせて、いくら儲かっているのか……ということも常に把握しておかなければなりません。このために必要なのが、正確な帳簿の作成なのです。

帳簿作成が苦手なのは、見慣れない書式、意味不明の勘定科目、手書き帳簿は大変、計算が苦手、などの理由によることが多いのです。紙に書くのが苦手な方には、パソコンの会計ソフトもあります。青色申告のために義務づけられている帳簿は、会計ソフトにまかせましょう。とはいっても、会計ソフトに入力するのはあなたです。最低限の知識は必要ですね。本書を読めば、それがきちんと身につくはずです（詳しくは２章で！）。

会計ソフトを使えば最低限の
知識で帳簿づけはできる！

●決算は税務署のため？　いえ、あなたの事業のためです

　決算とは１年間の損益を計算する手続きのことです（2章参照）。個人事業者は毎年12月31日を決算日として損益を確定します。これは、確定申告書に記入する金額を確定させる作業で、別名「年次決算」といい、いわば税務署のための決算です。

　これに対し、「月次決算」は、税務署のためではなく、あなたのための決算です。的確な経営判断を下すために、毎月（業種によっては毎日）決算を行うことが望ましいのです。

　わたしの顧問先には、月次決算は業種を問わず実施するように、また日々の現金売上がある小売業や飲食業の場合には日次決算を実施するように提案しています。月次決算は１か月単位で合計残高試算表を作成することです。その目的は、各月の損益を知ることにあります。そのほかにも目標達成度の確認、最終損益（着地見込みといいます）の予測資料、節税対策の検討資料などとして、使うことができます。

　「日次決算」は、集計期間を１日に短縮したものです。毎日の取引を記帳していれば、日次決算はそれほど難しいものではありません。売上が伸び悩んでいる場合などに、早い段階から対策を講じることができるようになります。

　ビジネスは始まったばかりですが、近い将来、年間売上と利益の目標を立てるときがきます。それには蓄積された売上データなどが必要なのです。具体的な計画の作成には、過去の帳簿やデータを活用します。ビジネスの過去、現在、未来を帳簿がつないでいるのです。

　帳簿作成をサボってはいけない理由をご理解いただけたと思います。だとしたら、独立開業のスタートはうまく切れたはずです。

　目標に向けて走り出したあなたの未来を応援しています。

青木 茂人

本書の便利な使い方

本書は、さまざまな業種に対応できるように網羅的に解説をしています。
そこで、あなたのビジネスモデルに合わせて、不要な項目は飛ばして読むという使い方を説明しておきます。

○：読むべき項目　×：読み飛ばし可能な項目

業態	フリーランス		飲食店	商品販売	サロン
業務	●デザイナー ●フリーライター ●フリープログラマー ●カメラマン 　　　　　など		●レストラン ●居酒屋 ●バー 　　　　など	●雑貨店 ●衣料品店 などの小売店	●理容室 ●美容室 ●ネイルサロン 　　　　など
店舗・事務所	自宅兼事務所	自宅以外の事務所	店舗	店舗	店舗
序章 お金と書類の整理整とんを身につけよう	○	○	○	○	○
1章 開業したら届出をしよう	○	○	○	○	○
2章 簿記の基本を覚えよう	○	○	○	○	○
3章 青色申告決算書にある勘定科目	業態、店舗の有無などによって使う勘定科目が異なる。 詳しくは99ページ参照				
4章 多桁式現金出納帳で簡単記帳	○	×	×	×	×
5章 会計ソフトでラクラク帳簿作り	○	○	○	○	○
6章 決算の手続きと青色申告決算書の作り方	○	○	○	○	○
7章 所得税の確定申告書を作ろう	○	○	○	○	○
8章 消費税の確定申告書を作ろう	消費税の課税事業者である場合は○ 消費税の課税事業者でない場合は× 詳しくは214〜215ページを参照			インボイスについては、 58〜69ページを参照	

序　章

お金と書類の整理整とんを身につけよう

① 「仕事」と「プライベート」を分けよう

フリープログラマー
Hさん

クライアントからの
売上金はプライベー
トで使っている銀行
口座で受け取っても
いいんですか？

銀行口座は仕事とプ
ライベートできちん
と分けましょう。
もちろん「現金」も
ですよ！

「仕事」と「個人」を
きちんと分けて！

◎仕事用のお金の管理には、**手提げ金庫**などを用意して、
　プライベートのものとは完全に使い分けてください。
◎**クレジットカード**もビジネス用にあると便利です。

仕事用とプライベート用の財布を分ける

　開業して自宅を事業所とした場合、自宅に居ながら仕事をすることになります。このときに起こりがちなのが、**仕事の資金とプライベートの資金の区別がつかなくなること**です。仕事とプライベートのお金を区別しないで適当に使っていると、どれだけの収入があってどれだけの経費を使い、利益はいくらあったのか、そしてその利益にかかる税金はいくらなのかがわからなくなります。

　仕事とプライベートのお金を区別すると、帳簿への記入が簡単に

ちょっと補足
仕事用と個人用のものを
いっしょに購入したときは？

別々に領収証をもらいましょう。日頃から「仕事」と「プライベート」を分ける習慣が大切です。

別会計で

自宅用　事務所用

なりますし、**無駄な経費を削減できる**というメリットがあります。

　そこでまず、個人事業主としてすべきことは、「**仕事用とプライベート用で財布を使い分ける**」こと。ささいなことだと思われるかもしれませんが、大切なことです。財布を分けることで仕事の収支が正確に把握でき、プライベートの支出も明確になります。

　具体的には、ふだん使用するプライベートの財布とは別に仕事用として小さな手提げ金庫を用意し、定期的に補充するようにしましょう。

仕事とプライベートのお金を分けないと…

仕事とプライベートのお金を分けないと、
経営状態を正確に把握できない。

仕事とプライベートの
お金を分けると、帳簿
への記入が簡単になる
し、経営状態を正確に
把握できる。

簡単経理のツボ！ 0-01

プライベートの財布とは別に「仕事用の財布」を用意しよう。

仕事専用の銀行口座を開設する

　銀行口座も仕事用とプライベート用で使い分けましょう。 プライベート用と明確に区別するために、**個人名の前に屋号をつけて口座開設することもできます。** ただし、金融機関によって対応が異なるので、事前に確認しましょう。

　最近では、通帳が発行されないタイプのインターネット口座を開設すること

もできます。通帳がないので預金取引の記録を定期的にダウンロードしておきます。このデータにはコメントなどを書き込むこともできるものが多く、取引の詳細などを記録しておくこともできます。なお、パソコンが起動しないといったリスクに備えて、定期的にバックアップを作成したり、印刷してファイリングしておきましょう。

<table><tr><td>

ちょっと補足
クレジットカード利用明細は領収証代わりになる？

代わりになりません。飲食代や消耗品の購入など領収証の発行される取引の場合は、領収証の保管が必要です。領収証の発行されない取引の場合では請求書や申込書、利用明細などをセットで保管する必要があります。
</td></tr></table>

自宅兼事業所の場合、家賃や電気・ガス・水道などの公共料金、固定電話、携帯電話、プロバイダー料金など、必要経費になるものを口座振替にしているケースでは、その口座を仕事用にして新規口座をプライベート用にするといった方法も検討します（全額が必要経費になるわけではありません。18ページ参照）。生活資金は、仕事用口座からプライベート用口座に移動します。

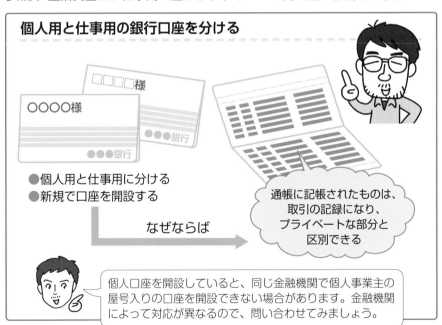

個人用と仕事用の銀行口座を分ける

- 個人用と仕事用に分ける
- 新規で口座を開設する

なぜならば

通帳に記帳されたものは、取引の記録になり、プライベートな部分と区別できる

個人口座を開設していると、同じ金融機関で個人事業主の屋号入りの口座を開設できない場合があります。金融機関によって対応が異なるので、問い合わせてみましょう。

簡単経理のツボ！ 0-02 個人名義の口座と同じ金融機関で仕事用の口座を作ろう。

会社を辞める前に仕事用で使うクレジットカードを作る

クレジットカードも仕事用とプライベート用を分けましょう。クレジットカードは、**勤務先を退職する前に作っておく**とよいでしょう。

　クレジットカードの申込書には必ず勤務先を記入する欄があります。これはカードの発行会社が、あなたの勤務先の会社の規模や年齢、役職などを判断材料としてカード発行の審査を行っているからなのです。また、キャッシング機能付きのカードの場合には、収入証明書（源泉徴収票）などの提出も必要となる場合があります。

　会社を退職した後にクレジットカードを作ろうとした場合、カード発行を断られるケースもあります。このような事態を避けるために、退職前にクレジットカードを作成しておきましょう。

　「クレジットカードはキライ」という方でも、経費の管理に役立つなどのメリットがあるので、利用を検討してみてください。

 　仕事用のクレジットカードは必ず用意しよう。

> ◯ **Column** ▶▶
>
> ◯ **個人事業者はクレジットカードの審査が通りにくい？**
>
> ◯ 　クレジットカード会社はカード利用者から安全確実に回収することを考えています。
> このため、収入が安定していない方からの申し込みを断ることがあります。
>
> ◯ 　個人事業者だから審査が通りにくいというわけではありません。しかし、安定した
> 給与収入がある方のほうが審査が通りやすいのも事実ですから、退職や独立開業を決
> ◯ 意したら、事前準備の一環としてクレジットカードの作成を検討しましょう。
>
> ◯ 　カードの利用額に応じたポイントの活用を優先したい方は、1枚にまとめるほうが
> よいかもしれません。また、クレジットカード会社の中には同じ会社でビジネスアカ
> ◯ ウントなどの事業専用カードを発行してくれるところもあります。クレジットカード
> はご自身の使い方に合わせて賢く選択、活用しましょう。

自宅の家賃や電気代を経費にする

　フリーランスのライターやデザイナーなどで、**自宅に作業スペースを設けている場合には、家賃や電気代の一部を経費にすることができます。**

　自宅とは別に事務所などを賃借している場合には、事務所家賃の全額を経費にすることができます。しかし、自宅兼事務所の家賃は全額を経費にすることはできません。**支払った家賃のうち、事業に使用している部分の金額を経費にすることができます。**

　自己所有のマンションや建物を事業に使用する場合には、固定資産税や都市計画税、建物の減価償却費などのうち事業使用割合に応じた金額を経費にできます。事業使用割合の計算方法は137ページを参照してください。

自宅に作業スペースを設けている場合の家賃の経費計上

事業用スペース

個人用スペース

支払った家賃のうち、事業に使用している部分の金額を経費にすることができる。
共有部分も一部経費にできる場合がある。

 簡単経理のツボ！ 0-04

自宅に作業スペースを設けている場合は、家賃や電気代の一部を経費にできる。

② 書類の整理整とんをしよう

ようやく確定申告が終わりました！書類は1年たったら捨ててもいいのですか？

衣料品店経営
Gさん

きちんと書類ごとにまとめておきましょう。
書類によって5年、7年と保存期間が決まっています。

書類はまとめて整理整とん！

◎見積書・契約書・納品書・請求書・領収証はそれぞれにまとめて整理し**5年間**保存します。
◎取引の記録として記帳した帳簿類も、**7年間**は保存します。

📚 書類は探しやすさを最優先に考えて整理する

　仕事を受注して代金を回収するまでの間には、見積書、発注書、発注請書、契約書、納品書、検収票、請求書、領収証…と、取引先との間でいくつもの書類がやり取りされます。これらの書類のことを証ひょうといいます。

　しかし、業種や業態によって異なるので使わない種類の書類もありますし、同じような内容で名称の異なるものもあります。その他に消耗品やタクシー代など各種経費の領収証、交通費の精算書など経費精算に関するものもあります。

　証ひょうを効率よく整理するには、
①仕事の流れとその間に作成される書類を明確にし、
②書類の探しやすさを最優先に考えて、分類、整理、保管する方法を決定することが大切です。

証ひょうとは、領収証、請求書、契約書など取引に際して取り交わした書類のこと。

仕事と書類作成の流れを明確にして整理法を考える

見積書 → 発注書（発注請書）（契約書） → 納品書 → 受領書 → 請求書 → 領収証

①仕事の流れとその間に作成される書類を明確にする。
②書類の探しやすさを最優先に考えて、分類、整理、保管方法を決定する。

書類を整理するのは、**帳簿を作成する下準備**のためでもありますが、**書類を検索しやすくする**ため、でもあります。以前の取引の条件や単価などを調べたり、参考資料にしたりといった使い方をすることがたびたびあるのです。

 ## 書類には保存義務がある

証ひょうは、取引があったことを証明するための大切な証拠書類です。正確な帳簿記入のためにも適切に管理しておく必要があります。また、**帳簿に記入した後も一定期間の保存が義務づけられている**ので、できるだけコンパクトにまとめておきたいものです。ファイリングした後に、帳簿類といっしょに年度別にダンボール箱などに詰めて保管しておきましょう。

なお、2024年1月から**電子取引のデータ保存**が必要になりました。これはメールなどでやり取りした書類は、そのデータを原本として保存しておかなければならない、というものです。データ保存について、次の2点に注意しましょう。

①真実性の確保のために、**事務処理規程**を定める（どこに保存するかを決める、など）。

②データを**検索できる**ようにする（パソコン内保存でよい）。

証ひょう類はファイリングした後に、帳簿類といっしょに年度別にダンボール箱に詰めて保管する。

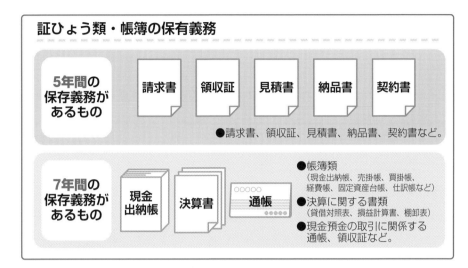

証ひょう類・帳簿の保有義務

| 5年間の保存義務があるもの | 請求書 | 領収証 | 見積書 | 納品書 | 契約書 |

●請求書、領収証、見積書、納品書、契約書など。

5年間の保存義務があるもの ※図解部分

7年間の保存義務があるもの　現金出納帳　決算書　通帳

●帳簿類
（現金出納帳、売掛帳、買掛帳、経費帳、固定資産台帳、仕訳帳など）
●決算に関する書類
（貸借対照表、損益計算書、棚卸表）
●現金預金の取引に関係する通帳、領収証など。

書類によってファイリングのしかたを考える

　書類の種類ごとにファイリングのしかたは異なりますが、**日付順にファイルする（日付の新しいものを上に重ねていく）**のが一般的です。

　さらに、取引件数の多少によって次のような方法が考えられます。

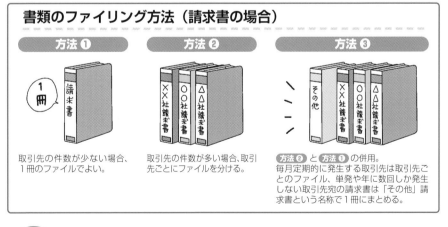

書類のファイリング方法（請求書の場合）

方法❶

1冊

取引先の件数が少ない場合、1冊のファイルでよい。

方法❷

取引先の件数が多い場合、取引先ごとにファイルを分ける。

方法❸

方法❷ と **方法❶** の併用。
毎月定期的に発生する取引先は取引先ごとのファイル、単発や年に数回しか発生しない取引先宛の請求書は「その他」請求書という名称で1冊にまとめる。

簡単経理のツボ！
0-05

書類は日付順にファイリングする
（新しい書類を上に重ねていく）のが基本。

ファイルは検索しやすいように分類する

次にファイルの分類です。

ファイルは、売上、仕入や外注費、給与、経費（請求書による後払い、口座振替による支払い、現金で支払い）などによって分類してファイリングするのが一般的です。

ただし、業種や業態によって分類管理方法が異なることもあります。例えば、飲食店や理美容室、ネイルサロンなどの来店型店舗ビジネスの場合は、売上は売上伝票で管理するのが一般的です。売上伝票のほかレジスターの記録紙（ジャーナル）などで集計管理したり、売上伝票の代わりに券売機を使用したりするケースもあります。

どのような形式であれ売上等の金額を集計するための書類なので、検索しやすいように整理し、きちんと保管、管理しなくてはなりません。

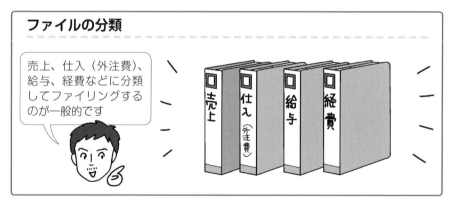

ファイルの分類

売上、仕入（外注費）、給与、経費などに分類してファイリングするのが一般的です

売上　仕入（外注費）　給与　経費

Column

売上伝票やジャーナルも保管義務がある？

飲食店の経営者から、「売上伝票やジャーナルを処分したい」という相談を受けることがあります。確かにかさばるし、見直すこともほとんどないので捨てたいという気持ちはわかります。しかし、売上伝票の保存期限は7年間です。上手にまとめる工夫が必要ですね。

なお、売上伝票にはたくさんの有益な情報が記載されていますので、有効に活用しましょう。

③ 仕入・経費に関する書類の整理と保管方法

原稿執筆に使った本や雑誌の領収証がたまってしまいました。どう整理したらいいのでしょうか？

フリーライター
Dさん

何を買ったのかを覚えているうちに整理するのが一番です！定期的に整理する習慣をつけましょう！

証ひょう類は
こう整理！

◎検索しやすいように、日付順に（新しいものが一番上にくるように）整理しましょう。

◎「週末」「15日と月末（月2回）」といったように定期的に整理する習慣をつけましょう。

仕入先・外注先からの請求書の整理・保管方法

仕入先・外注先からの請求書は、**取引量の多い仕入先、外注先は取引先ごとに、単発の取引先は月別に区分けして、日付順にファイリング**しておきます。

業者別に日付順で整理すれば、業者名でも取引日でも必要な書類をすぐに抜き出すことができます。以前の仕入単価などを知りたいときにも使えます。

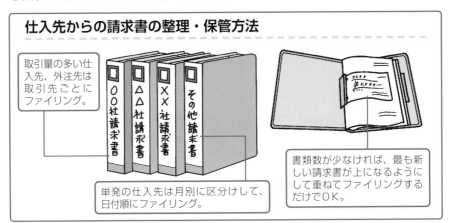

仕入先からの請求書の整理・保管方法

取引量の多い仕入先、外注先は取引先ごとにファイリング。

〇〇社請求書　△△社請求書　××社請求書　その他請求書

単発の仕入先は月別に区分けして、日付順にファイリング。

書類数が少なければ、最も新しい請求書が上になるようにして重ねてファイリングするだけでOK。

　なお、振り込みで支払った場合には原則として領収証は発行されません。現金で支払った場合に受け取った領収証は、現金出納帳に記載し、現金で支払った領収証といっしょに保管します。支払いの確認をしやすくするために、領収証のコピーを請求書のファイルに綴じ込んでおくという方法もあります。

取引数の多い仕入先・外注先からの請求書は取引先ごとに、単発の取引先は月別に区分けして日付順にファイリング。

納品書の整理・保管方法

　商品が納入された際に、商品名、品番、単価、数量などの明細が記入された納品書を受け取ります。時々「仕入先からの請求書は整理しているが、納品書は廃棄している」という方がいます。しかし、その納品分の請求書が後日送られてきたときに、単価や数量が間違っていることもあります。また、二重請求やほかの会社の取引分が請求されているといったミスもありえます。

　請求書が届いたら、必ず納品書の明細と請求書の明細が一致しているか確認します。

　納品書も請求書と同様、取引量の多い仕入先、外注先は取引先ごとに、単発の取引先は月別に区分けして、日付順にファイリングしておきましょう。

取引数の多い仕入先からの納品書は取引先ごとに、単発の取引先は月別に区分けして日付順にファイリング。

領収証の整理・保管方法

　領収証は、物の購入、サービスの提供を受けたときに、現金やクレジットカードで対価を支払ったことを証明する書類です。したがって、帳簿で支払ったことを記入していても、領収証がなければその支払いを証明できないことになります。

　領収証は放っておくと、どんどんたまっていってしまいます。「このレシート、仕事用のもの、個人用のもの、どっちだっけ？」と何の目的で買ったのか思い出せないくらいため込んでしまうと整理に時間がかかります。無駄な時間を減らすには、定期的な整理を実行してください。

　整理には、ノートやコピー用紙などに領収証をのりづけするのが紛失を防ぐためにはいい方法です。ただ、それだと時間がかかりすぎるという方は、ひと月ごとに封筒に入れて「202X年4月 経費」と書いておくという整理でもOKです。それを年末にさらに大きな封筒に入れて「202X年 経費」というようにまとめて保管しておきましょう。

領収証の管理方法

① 「週に1回金曜日に整理を行う」「1か月に1回月末日に行う（もしくは15日と月末日に行う）」といったように、定期的に整理を行う。

②領収証やレシートをもらったら品目と目的を簡単に記入しておく。

領収証のまとめ方

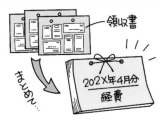

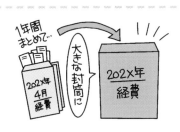

コピー用紙に日付順に貼っておく、領収証に二穴パンチで穴を空けてひもでまとめる、といった方法だと探しやすい。

量が少なければひと月ごとに封筒に入れて「202X年4月 経費」と書いておく。それを年末にさらに大きな袋に入れて「202X年 経費」というようにまとめて保管する。

簡単経理のツボ！
0-08

領収証は、コピー用紙などに日付順にのりづけ、または封筒に月ごとに分けて保管する。

領収証がもらえない経費はどうする？

電車やバスなどの交通費、休憩時にスタッフに配った自動販売機で購入した飲料など、経費になるのに領収証が発行されない場合があります。そのときに使うのが**出金伝票**です。

出金のあった日付、勘定科目（78ページ参照）、摘要欄（出金の具体的な内容）、金額を記入すれば、領収証の代わりになります。文具メーカーが販売しているものもありますが、パソコンで作成したものでもOKです。

ちょっと補足

交通系ICカードへの入金は「旅費交通費」？

スイカやパスモなど交通系ICカードにチャージしたとき、チャージ金額を「旅費交通費」とすることはできません。交通費以外の物品の購入にも使えるからです。交通系ICカードであっても電車やバス等を利用したときに計上するのが基本です。

出金伝票の書き方

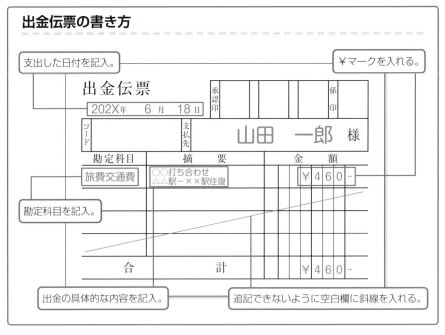

支出した日付を記入。

¥マークを入れる。

勘定科目を記入。

出金の具体的な内容を記入。

追記できないように空白欄に斜線を入れる。

 簡単経理のツボ！ 0-09　領収証が発行されない経費は出金伝票で管理。

④ 売上に関する書類の作成と保管方法

クライアントに提出した請求書の控えをとってないのですが、問題ありますか？

アートディレクター
Fさん

控えをとってファイルすることを習慣づけましょう！
のちのち困ることがありますよ！

請求書、領収証の作成はここに注意！

◎**課税文書**にあたる**領収証**は、該当する金額の収入印紙を添付します。
◎**請求書**は必ず控えをとってファイリングしておきましょう。

請求書は取り決めた締め日に発行する

得意先へ商品を納品して代金を後日回収するときに、**代金を請求するために発行する書類が請求書**です。この請求書の発行について、**得意先との間で事前に締め日と支払日を取り決めます**。納品書がある場合はその控えをもとに請求書を作成しましょう。

請求書は市販のものでも、パソコンでひな形を作りプリンターで印刷したものでもかまいません。

ただし、**必ず控えを残しておくよう**にしましょう。控えを残しておかないと、どのような請求書を発行したのかわからなくなってしまいます。また、**発行する請求書と同じ連番を控えにも振っておきましょう**。

売上の請求書は、**取引量の多い得意**

ちょっと補足
書き損じた請求書はどうする？

市販されている複写式の控えが残せる請求書を使用する場合、書き損じた請求書は控えとともにホチキスなどで留めて保存するようにしましょう。破棄したり、控えごと破り捨てたりしてはいけません。

先は得意先ごとに、単発の取引先は月別に区分けして日付順にファイリングしておきます。原則的に、**最も新しい請求書が一番上になるようにして重ねてファイリング**します（仕入先・外注先からの請求書の整理・保管方法と同じです。23ページ参照）。

請求書の書き方

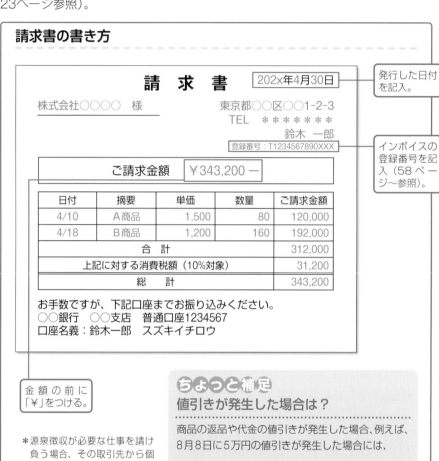

請　求　書

202x年4月30日

発行した日付を記入。

株式会社○○○○　様

東京都○○区○○1-2-3
TEL　＊＊＊＊＊＊＊
鈴木　一郎

登録番号：T1234567890XXX

インボイスの登録番号を記入（58ページ〜参照）。

ご請求金額	￥343,200 －

日付	摘要	単価	数量	ご請求金額
4/10	A商品	1,500	80	120,000
4/18	B商品	1,200	160	192,000
合　計				312,000
上記に対する消費税額（10%対象）				31,200
総　　計				343,200

お手数ですが、下記口座までお振り込みください。
○○銀行　○○支店　普通口座1234567
口座名義：鈴木一郎　スズキイチロウ

金額の前に「￥」をつける。

＊源泉徴収が必要な仕事を請け負う場合、その取引先から個人事業者本人のマイナンバーを確認される。その場合、個人事業者本人の12桁のマイナンバーを取引先に通知する。

ちょっと補足
値引きが発生した場合は？

商品の返品や代金の値引きが発生した場合、例えば、8月8日に5万円の値引きが発生した場合には、

「8/8 ▲50,000-値引きにより金額変更」

といった追記を行いましょう。

簡単経理のツボ！ 0-10

**請求書は市販のものでもパソコンで作成したものでもOK。
控えを必ず残しておこう！**

領収証の控えを保管しよう

　得意先などから売上代金を集金したとき、「代金を受領した」証拠として発行する書類が領収証です。ただし、銀行振込の場合には振込の控えが代金支払いの証拠となるので、ほとんどのケースで領収証の発行が省略されます。

　領収証は得意先などに渡してしまうものなので、控えを残しておかないと、どのような領収証を発行したのかわからなくなってしまいます。**市販の領収証を使用する場合には、複写式で控えを残せるものを選びましょう。パソコンで作成する場合には控えも同時に印刷し、割印を押しておく**ようにしましょう。たとえデータで残してあったとしても印刷して保管するのが原則です。

ちょっと補足
領収証の金額を間違えていたら？

複写式の領収証を再発行する場合には、最初に発行した領収証は得意先などから返してもらい、控えにホチキスなどで留めて保存します。再発行する領収証には「再発行」と、控えには「○年○月○日No.000発行分の再発行、金額訂正のため」のように再発行の事情を記入しておきましょう。

領収証は市販のものでも印刷したものでもOK

市販の領収証は複写式のものにすれば控えが残る。

パソコンで作成する場合は控えを同時に印刷して割印を押す。

領収証には収入印紙を貼るのを忘れずに

受領金額が**5万円以上の領収証は印紙税の課税対象**となります。**印紙税は受取金額に応じて税額が定められていて、収入印紙を領収証に添付し、消印することで納税する**しくみになっています。消費税の内訳が記載されている場合は、税抜金額で判定します。

収入印紙はコンビニエンスストアや郵便局、印紙売りさばき所で販売していますので、必要に応じて購入しましょう。

ちょっと補足
消印とは？

印紙を貼った上から半分はみ出すように印を押すことをいいます。消印は印紙の再利用を防ぐためのもので、消印をしないと印紙税を納付したことになりません。

売上代金の受領書にかかる印紙税の額（抜粋）

受取金額	印紙税額	受取金額	印紙税額
5万円未満	非課税	500万円以下	1,000円
100万円以下	200円	1,000万円以下	2,000円
200万円以下	400円	2,000万円以下	4,000円
300万円以下	600円	3,000万円以下	6,000円

領収証の書き方

金額の前に「¥」をつける。

ただし書を入れる。

インボイスの登録番号を記入（58ページ～参照）。

貼付した収入印紙に図のように、納税をしたという証拠として消印する。

領　収　証　202X年4月30日

▲▲▲　様

¥2,200,000-

うち消費税 ¥200,000-（10%）

ただし、商品代金として上記の金額を受領しました

東京都○○区○○１－２－３
鈴木 一郎
登録番号：T1234567890XXX

クレジットカードで支払われた場合は、収入印紙は不要だが、領収証にはクレジットカードで支払われたことを明記する必要がある。

⑤ 契約書の作成と保管方法

口頭で仕事の依頼を
受けましたが、契約
書を交わしたほうが
いいんですか？

もちろんです！
契約書を交わすのは
トラブル回避の第一
歩ですよ！

デザイナー
Cさん

**契約書の作成・保管
はここに注意！**

◎**契約書**は取引を行ううえで、最初の重要な書類。決ま
りごとはここに明記して、トラブルを防ぎましょう。

◎契約書は透明なクリアポケットを契約書用のファイル
にして保管しましょう。

契約書を作成しよう

契約は、それを結ぼうとする両者の口頭での約束でも成立するといわれますが、口頭だけの契約には大きな危険があります。契約当初は誰もが、自分が契約した内容の義務を必ず実行しようと考えているはずです。しかし、時間が経つと、契約の詳細を忘れてしまって「納品の方法を間違えてしまった」「予定していた日に代金を受け取ることができなかった」といった事態になることもあります。これくらいならまだいいのですが、当事者の一方が「そんな契約していない」と言い出したら、もう一方にとっては大変なことになってしまいます。

契約書という書面を交わすことで、お互いのこういった**誤解を避けるとともに、約束事を明確にすることができるのです。**ただし、あいまいで誤解を生みやすい表現を使った契約書はトラブルの元です。お互いが納得できるわかりやすいものを作る必要があります。

収入印紙が必要な契約、不要な契約

　契約書を作成する場合、その内容によって収入印紙の貼付が必要なのか不要なのかが分かれます。**収入印紙の貼付が必要とされるのは、その契約書が印紙税法で定められた**課税文書**に該当する場合**です。国税庁が公開している**印紙税額一覧表**などから、課税文書かどうか、そしてその課税額をだいたいは判断できますが、迷ったときには所轄の税務署に作成した契約書を持参して、課税文書に当たるかどうかを尋ねるのが確実です。ちなみに、事業を行ううえで作成することの多い**継続的取引の基本となる契約書（第7号文書）**には、**4,000円の収入印紙の添付**が必要です。

契約書の整理・保管方法

　契約書には、得意先との「取引基本契約書」や「業務委託契約書」、店舗や事務所の「賃貸借契約書」などさまざまなものがありますが、**年間十数枚の契約書を作成する程度であれば、透明なクリアポケットにファイルするとよいでしょう。**

　また、**契約期間が満了したものは、進行中の契約書とは別に契約期間終了分として別ファイルで保管**すると便利です。

> **ちょっと確認**
> ### 見積書は保管したほうがよい？
> 見積書は税金の申告には直接関係ありません。しかし、同じような取引がのちに発生した場合、その見積書が参考になるケースがあります。パソコンで作成している場合は、年ごとにフォルダにまとめてデータを保存しておきましょう。

契約書の整理・保管方法

進行中の契約書。

契約期間終了後は別ファイルに。

契約書
契約書終了

契約書が届いたら透明なクリアファイルに順にポケットに入れておく。

契約書

簡単経理のツボ！ 0-11

契約書は、進行中の契約と終了した契約に分けてクリアファイルにファイリング。

1 章

開業したら届出をしよう

① 開業したらすぐ届出をしよう

独立して自宅で
デザイン事務所を
開きました。
最初にやることは
何ですか？

デザイナー
Cさん

まず、税務署で
各種の届出を済ま
せましょう！

開業したら忘れずに
税務署に届出をしよう

◎開業したら**税務署**への届出が必要です。
◎開業後、1か月以内に提出を義務づけられている書類
　もあります。すぐに準備しましょう！

個人事業をスタートしたら各種届出が必要

　個人の方が事業をスタートしたら、所得税
や源泉所得税、消費税に関する届出書の提出
が必要になります。事業開始から1か月以内
という短期間で提出を義務づけられている書
類もあります。**各種届出書類は税務署に備え
付けられていますが、国税庁のホームページ
からもダウンロードすることができます。**

個人事業をスタートしたら、
まず各種届出を済ませよう。

個人事業主が支払う税金と届出・申請の種類

　次節からどのような届出が必要か解説しますが、その前に個人事業者が支払
う主な税金と、届出・申請の種類をここでまとめておきます。なお、**提出先は
納税地を管轄する税務署になります**（納税地→37ページを参照）。

個人事業主が支払う主な税金

国税
所得税
消費税

地方税
個人事業税
住民税（都道府県）
住民税（市区町村）

個人事業を開業したときの所得税・源泉所得税・消費税に関する必要な届出

	届出書類	内容	提出期限	参照ページ
所得税	個人事業の開業届出書	事業を開始したとき	事業開始の日から1か月以内	P.36
	所得税の青色申告承認申請書	青色申告の承認を受ける場合	原則、承認を受けようとする年の3月15日まで 新規開業の場合は開業後2か月以内	P.39
	青色事業専従者給与に関する届出書	青色事業専従者給与額を必要経費に算入する場合	原則、青色事業専従者給与額を必要経費に算入する年の3月15日まで	P.46
源泉所得税＊	給与支払事務所等の開設届出書	給与等の支払いを行う事務所等を開設したとき	開設の日から1か月以内	P.47
	源泉所得税の納期の特例の承認に関する申請書	給与等からの源泉徴収所得税を年2回まとめて納付する特例を受ける場合	随時	P.49
消費税	消費税課税事業者届出書	基準期間の課税売上高が1,000万円を超えることで課税事業者になる場合など＊＊	事由が生じた場合、速やかに	P.51
	消費税課税事業者選択届出書	免税事業者が課税事業者になることを選択する場合	適用を受けようとする課税期間の初日の前日まで 開業した年は、開業年の12月31日まで	P.53
	消費税簡易課税制度選択届出書	簡易課税制度を選択する場合	適用を受けようとする課税期間の初日の前日まで	P.56
	適格請求書発行事業者（インボイス発行事業者）の登録申請	インボイス発行事業者に登録する場合	随時	P.66

＊従業員を雇用する際に納付
＊＊詳細は214-215ページ

（国税庁 HP より作成）

簡単経理のツボ！ 1-01

開業したらまず税務署へ行って各種届出書類をもらってこよう。
国税庁のホームページでダウンロードもできる。

② 個人事業の開業届

フリーライター
Dさん

自宅で原稿執筆の
仕事をすることに
したのですが、
最初にしなければ
ならない手続きは
何ですか？

個人事業の開業届出
書を税務署に提出し
ましょう。
開業後1か月以内に
提出しなければなり
ませんから急いでく
ださい！

独立開業したらまず
開業届を税務署に提出！

◎**開業届**は開業した日から1か月以内に税務署へ提出す
ることが義務づけられています。
◎また、都道府県税事務所に個人事業開始申告書を提出
しなければならない場合もあります。

開業したら開業届を提出しなければならない

　開業届は、個人事業を始めたことを所轄の税務署に知らせる書類です。人が
生まれたときには市役所に出生届を提出しますが、開業届は事業主の出生届と
いってよいでしょう。

　開業届の正式名称は**個人事業の開業・廃業等届出書**です。**新たに事業を開始
したときは、開業した日から1か月以内に所轄の税務署に提出する**必要があり
ます。様式に従って、納税地（37ページ「注意！」）や事業の概要などを記入
してください。個人事業を開始した場合、必ず提出しなければならないのはこ
の開業届だけです。あとは特典を受けたり、有利な方法を選択するための届出
や申請だと理解してよいでしょう。

　また、**個人事業税**の申告が必要な個人事業主の場合は、事務所のある地方自
治体に**個人事業開始申告書**を提出しなければなりません。ただし、個人事業税
は**所得（売上から各経費を引いた残り）が290万円を超える場合に支払う税
金**で、個人事業税が発生しない場合は提出しなくてもかまいません。

個人事業の開業届出書

納税地を所轄する
税務署名を記入する。

納税地以外に事務所等が
ある場合に記入する。

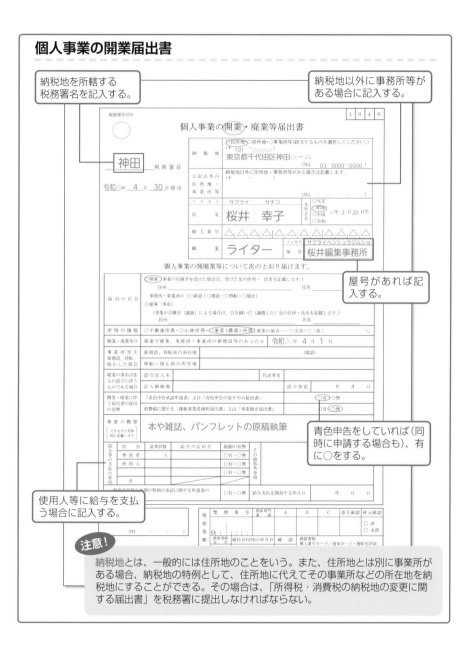

税務署受付印

個人事業の開業・廃業等届出書 1 0 4 0

神田 税務署長

令和△年 4 月 30 日 提出

納 税 地	・住所地・居所地・事業所等（該当するものを選択してください。） （〒 101 －△△△△） 東京都千代田区神田△－△ （TEL 03 － 0000 － 0000 ）
上記以外の 住 所 地 ・ 事 業 所 等	納税地以外に住所地・事業所等がある場合は記載します。 （〒 － ） （TEL － － ）
フリガナ 氏 名	サクライ　サチコ **桜井 幸子**	○大正 ○昭和 △年 2 月 20 日生 ○平成 ○令和
個 人 番 号	△,△,△,△|△,△,△,△|△,△,△,△
職 業	**ライター**	フリガナ サクライヘンシュウジムショ 屋 号 **桜井編集事務所**

屋号があれば記
入する。

個人事業の開廃業等について次のとおり届けます。

届 出 の 区 分	開業（事業の引継ぎを受けた場合は、受けた先の住所・氏名を記載します。） 住所　　　　　　　　　　　　　　　氏名 事務所・事業所の（○新設・○増設・○移転・○廃止） ○廃業（事由） （事業の引継ぎ（譲渡）による場合は、引き継いだ（譲渡した）先の住所・氏名を記載します。） 住所　　　　　　　　　　　　　　　氏名
所 得 の 種 類	○不動産所得・○山林所得・・事業（農業）所得 ［廃業の場合……○全部・○一部（　　　　　　）］
開業・廃業等日	開業や廃業、事務所・事業所の新増設等のあった日 令和△ 年 4 月 1 日
事業所等を 新増設、移転、 廃止した場合	新増設、移転後の所在地　　　　　　　　　　（電話） 移転・廃止前の所在地
廃業の事由が法 人の設立に伴う ものである場合	設立法人名　　　　　　　　　　代表者名 法人納税地　　　　　　　　　　　　設立登記 年 月 日
開業・廃業に伴 う届出書の提出 の有無	「青色申告承認申請書」又は「青色申告の取りやめ届出書」 ○有・○無 消費税に関する「課税事業者選択届出書」又は「事業廃止届出書」 ○有・○無
事 業 の 概 要 できるだけ具体 的に記載します。	**本や雑誌、パンフレットの原稿執筆**

青色申告をしていれば（同
時に申請する場合も）、有
に○をする。

給与等の支払の状況	区 分	従事員数	給与の定め方	税額の有無	
	専 従 者	人		○有・○無	その他参考事項
	使 用 人			○有・○無	
	計			○有・○無	

源泉所得税の納期の特例の承認に関する申請書の	○有・○無	給与支払を開始する年月日	年 月 日

使用人等に給与を支払
う場合に記入する。

税務署整理欄	整理番号		関係部門連絡	A	B	C	番号確認	身元確認	
	0								□ 済 □ 未済
	課税用紙交付	通信日付印の年月日	確認	確認書類 個人番号カード／通知カード・運転免許証					

（TEL 　　 － 　　 ）

注意!

納税地とは、一般的には住所地のことをいう。また、住所地とは別に事業所が
ある場合、納税地の特例として、住所地に代えてその事業所などの所在地を納
税地にすることができる。その場合は、「所得税・消費税の納税地の変更に関
する届出書」を税務署に提出しなければならない。

簡単経理のツボ! 1-02 **開業したら開業届を1か月以内に税務署へ提出すること!**

③ 青色申告の申請手続き

独立開業したのですが、節税のために何をしたらよいですか？

衣料品店経営
Gさん

税務署で青色申告の申請手続きをしましょう！いろんな特典を受けられますよ。

青色申告の
申請手続きをしよう！

◎**青色申告**の申請手続きは期限が決まっています。忘れずに申請を！
◎青色申告にすると、税制上の特典が受けられます。

青色申告は税務上の特典を活用できる

　個人事業主が所得税を納める場合、1年間の所得と納税額を計算して税務署に申告しなければなりません。これを**確定申告**といい、その方法には**青色申告**と**白色申告**の2つがあります。**青色申告**は、「帳簿をきちんとつけてください。そうすれば税務上の特典を活用できます」という制度です。

青色申告と白色申告（2020年以降）

	青色申告			白色申告
	65万円控除	55万円控除	10万円控除	
青色申告承認申請書の届出	必要			不要
記帳の方法	複式簿記		簡易簿記	簡易記帳
必要な決算書	貸借対照表 損益計算書		損益計算書	なし
e-Taxによる申告（電子申告）または電子帳簿保存	必要	不要		不要

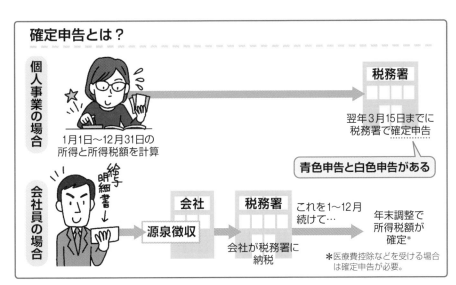

確定申告とは？

個人事業の場合

1月1日〜12月31日の所得と所得税額を計算

税務署

翌年3月15日までに税務署で確定申告

青色申告と白色申告がある

会社員の場合

給与明細書↓

源泉徴収 → **会社** → **税務署**

会社が税務署に納税

これを1〜12月続けて…

年末調整で所得税額が確定*

*医療費控除などを受ける場合は確定申告が必要。

 ## 青色申告をするための要件

青色申告をするには次の要件を満たさなければなりません。

4つの要件で青色申告

要件1	所得税の青色申告承認申請書を定められた期限までに所轄税務署に提出する。
要件2	複式簿記、簡易簿記などの制度に則り、帳簿を作成する。
要件3	帳簿書類や領収証などの証ひょう類は適正に整理し、7年間保存する。
要件4	決算において棚卸表の作成や決算書の作成をする。

これらの要件に加えて e-Tax による申告（電子申告）または電子帳簿保存を行うことで、65万円控除が受けられます

 ## 要件1 青色申告承認申請書の提出

青色申告承認申請書の提出期限は、開業日から2か月以内です。 2か月を過ぎて提出すると1年目は白色申告になります。なお、1月1日から1月15日までに開業した人はその年の3月15日までに提出すれば、開業の年から青色申告ができます。

青色申告承認申請書の提出期限

	開業した日	その年度に青色申告を するための提出期限
新規に開業する人	1月16日以降	開業日から2か月以内
	1月1日〜1月15日	3月15日
白色申告から青色申 告へ変更する人	−	3月15日

＊提出期限が土、日、祝日などに当たる場合の提出期限は、翌日が提出期限になる。

　申請した年の12月31日までに税務署から何も連絡がなければ、承認されたことになります。また、届出書類は税務署で入手することもできますが、国税庁のホームページからダウンロードすることもできます。

青色申告するには青色申告承認申告書を開業日から 2か月以内に提出すること！

要件2 帳簿の作成

　「帳簿作成」は、かつて手作業で行われて大変な手間がかかる作業でした。しかし、今はExcelなど表計算ソフトや会計ソフトを使って簡単に帳簿を作れるようになりました。「簿記を勉強したことがないので記帳はできない…」と、青色申告をあきらめることはありません。本書を参考にして帳簿作成にチャレンジし、青色申告制度の特典を受けてください！

ちょっと補足
青色申告をするための要件
「複式簿記」「簡易簿記」「損益計算書」「貸借対照表」といった難しい言葉が並んでいますが、これらは次章以降で解説していきます。とりあえず青色申告には「帳簿の作成が必要である」ということを覚えておいてください。

要件3 帳簿や証ひょう類の整理・保存

　帳簿書類や領収証などの証ひょう類は、帳簿に書かれている数字の根拠がすぐにたどれるように整理して**7年間保存**します。

要件4 棚卸表の作成や損益計算書、貸借対照表の作成は6章で解説します。

青色申告の4つの特典

青色申告で受けられる税制上の特典のうち、主なものは次の4つです。

特典1 **青色申告特別控除**

青色申告者には、**所得金額から最高55万円または10万円を控除するという青色申告特別控除**があります。控除額は、**簡易簿記（損益計算書の提出）の場合は10万円、複式簿記の場合（損益計算書と貸借対照表の提出）では55万円**になります。例えば売上が500万円、経費などが300万円、控除前の所得が200万円の場合、簡易簿記では控除後の所得が190万円、複式簿記では控除後の所得が145万円になります。白色申告では控除がないため、所得は200万円です。所得税は所得金額に税率をかけて計算するので、所得が少なくなると、税金が少なくなるのです。

55万円控除の適用要件に加えて**電子申告（e-Tax）**または**電子帳簿保存**を行うと、65万円控除を受けられます（詳しくは211～212ページ）。

10万円控除と55万円（65万円）控除の違い

	簡易簿記	複式簿記
控除額	10万円	55万円（65万円）
控除前の所得 200万円の場合	売上500万円／190万円 所得／経費など300万円／10万円控除	売上500万円／145万円（135万円）所得／経費など300万円／55万円控除（65万円控除）

経費とは、その収入を得るために必要だった物事にかかったお金のこと。例えば、事務所の家賃や水道光熱費、事務用品費、給与（人件費）など。

55万円の青色申告特別控除は、「複式簿記による記帳」（75ページ）に基づいて作成した貸借対照表と損益計算書を確定申告書に添付し、申告期限内に提出すること（97ページ）が要件になっています。

特典2 純損失の繰越控除

　赤字を3年間繰り越せる制度です。1年目が50万円の赤字、2年目が50万円の黒字だったとしましょう。青色申告の場合、1年目の赤字と2年目の黒字を相殺できるので、2年目の課税所得は0となります。白色申告の場合、1年目の赤字が切り捨てられてしまうので、2年目は黒字50万円が課税対象となります。開業初年度は赤字になることも多いので、開業初年度から青色申告の適用を受け、この特典を利用しましょう。

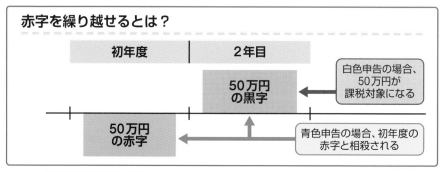

特典3 青色事業専従者給与

　個人事業では配偶者などの家族が事業の手伝いをすることがあります。しかし、白色申告の場合、給与を払っても部分的にしか必要経費にすることができません。どんなに働いていても、経費にできるのは**白色事業専従者控除**の金額のみです。**家族に支払った給与を経費にできるのは、青色申告者が事業専従者給与の届出**をした場合で、**届出書に記入した金額が限度**となります。

特典4 貸倒引当金の経費計上

　青色申告をしている個人事業者は、年末に残っている売掛金などの売掛債権・金銭債権に対して、5.5%の額を**貸倒引当金繰入**として経費に計上することができます。貸倒引当金とは、取引先の倒産などによって売掛金などが回収できなかった場合（**貸倒損失**）に備えてあらかじめ計上するお金（**引当金**）のことです。

青色申告のメリットは、①55万円ないし10万円の特別控除、②純損失の繰越控除、③青色事業専従者給与、④貸倒引当金の経費計上、など。

所得税の青色申告承認申請書

＊納税地については37ページ参照。

納税地を所轄する
税務署名を記入する。

| 税務署受付印 | 所得税の青色申告承認申請書 | | | 1 0 9 0 |

豊島　税務署長

令和△年 4 月 30 日提出

納　税　地	○住所地・○居所地・○事業所等（該当するものを選択してください。） （〒 170 -△△△△） 東京都豊島区池袋△－△ （TEL　03 - 0000 - 0000 ）
上記以外の 住　所　地・ 事　業　所　等	納税地以外に住所地・事業所等がある場合は記載します。 （〒　－　） （TEL　－　－　）
フリガナ 氏　名	イシダ　コウイチ 石田　幸一	○大正 ○昭和 ○平成 ○令和 △ 年 2 月 20 日生
職　業	衣料品販売	フリガナ ストーン ケイアイ 屋 号 STONE KI

屋号があれば
記入する。

令和 △ 年分以後の所得税の申告は、青色申告書によりたいので申請します。

1 事業所又は所得の基因となる資産の名称及びその所在地（事業所又は資産の異なるごとに記載します。）

名称 **スタジオG**　所在地 東京都豊島区池袋△－△

名称　　　　　　　　　所在地

2 所得の種類（該当する事項を選択してください。）

○事業所得 ・○不動産所得 ・○山林所得

3 いままでに青色申告承認の取消しを受けたこと又は取りやめをしたことの有無

(1) ○有（○取消し・○取りやめ）＿＿年＿＿月＿＿日 (2) ○無

4 本年1月16日以後新たに業務を開始した場合、その開始した年月日 令和△年 4 月 1 日

5 相続による事業承継の有無

(1) ○有 相続開始年月日＿＿年＿＿月＿＿日 被相続人の氏名＿＿＿＿＿＿＿ (2) ○無

6 その他参考事項

(1) 簿記方式（青色申告のための簿記の方法のうち、該当するものを選択してください。）

○複式簿記 ・○簡易簿記・○その他（　　　　　　　　　）

(2) 備付帳簿名（青色申告のため備付ける帳簿名を選択してください。）

○現金出納帳 ○売掛帳 ○買掛帳 ○経費帳・○固定資産台帳 ○預金出納帳 ○手形記入帳
○債権債務記入帳 ○総勘定元帳 ○仕訳帳 ○入金伝票 ○出金伝票 ○振替伝票 ○現金式簡易帳簿・○その他

(3) その他

関与税理士 （TEL　－　－　）	税務署整理欄	整理番号	0	関係部門連絡	A	B	C
		通信日付印の年月日	確認
		年 月 日

複式簿記であれば
55万円の特別控除
を受けられる。

複式簿記に必要な帳簿は「総
勘定元帳」と「仕訳帳」で、
その他は事業内容による。

④ 青色事業専従者給与の手続き

妻に仕事を手伝ってもらっているのですが、妻の給与を経費にできますか？

飲食店経営
Iさん

いくつかの要件を満たしていれば経費にできますよ。

専従者給与を活用しよう！

◎税務署へ**青色事業専従者給与**に関する届出書を3月15日までに提出します。
◎給与額の変更や新たに加わった場合は、その都度変更届を提出しなければなりません。

家族への給与を必要経費にできる

　個人事業者が家族とともに働いている場合、その家族に対する給与を、**専従者給与**といい、一般従業員に対する給与と区別されます。

　一般の従業員に対する給与は、必要経費に算入できます。しかし、家族に対する専従者給与は、いくつかの要件を満たさなければ必要経費として認められず、金額も制約があります。

　青色申告の場合の要件は次の通りです。

青色申告の場合の専従者給与の要件
要件1 青色申告者と生計を一にする配偶者、その他親族であること。
要件2 その年の12月31日現在で15歳以上であること。
要件3 その年を通じて6か月を超える期間、納税者の事業に専従すること（ただし、年の中途の開業などで従事できる期間が1年に満たなくても、その1/2を超えて従事していればOK）。
要件4 納税者の控除対象配偶者や扶養親族にならないこと。

青色事業専従者給与に関する届出書

＊納税地については37ページ参照。

他にも似た仕事をしたことがあれば、それも加える。

納税地を所轄する税務署名を記入する。

届出なので変更届出を二重線で消す。

税務署受付印	青色事業専従者給与に関する〇届　出　書　〇変更届出書		1 1 2 0

神田　税務署長

令和△年 4 月 30 日提出

納　税　地：●住所地・●居所地・●事業所等(該当するものを選択してください。)
(〒 101 -△△△△)
東京都千代田区神田△－△
(TEL　03 - 0000 - 0000)

上記以外の住所地・事業所等：納税地以外に住所地・事業所等がある場合は記載します。
(〒　－　)
(TEL　－　－　)

フリガナ　サトウ　ヒロシ
氏　名　佐藤　浩志
生年月日：●大正 ●昭和 ●平成 ●令和　△年 2 月20 日生

職　業　飲食業
フリガナ　イザカヤ ヒロ
屋　号　居酒屋ひろ

屋号があれば記入する。

令和△年 4 月以後の青色事業専従者給与の支給に関しては次のとおり ●定　め　た ●変更することとした ので届けます。

1 青色事業専従者給与（裏面の書き方をお読みください。）

| 専従者の氏名 | 続柄 | 年齢経験年数 | 仕事の内容・従事の程度 | 資格等 | 給　料 | | 賞　与 | | 昇給の基準 |
					支給期	金額（月額）	支給期	支給の基準（金額）	
1 佐藤 花子	妻	△歳 5年	接客、経理 週△時間程度	簿記 2級	毎月 △日	100,000 円	毎年8月 毎年12月	150,000 円 150,000 円	使用人の昇給基準と同じ
2									
3									

2 その他参考事項（他の職業の併有等）　**3 変更理由**（変更届出書を提出する場合、その理由を具体的に記載します。）

4 使用人の給与（この欄は、この届出（変更）書の提出日の現況で記載します。）

| 使用人の氏名 | 性別 | 年齢経験年数 | 仕事の内容・従事の程度 | 資格等 | 給　料 | | 賞　与 | | 昇給の基準 |
					支給期	金額（月額）	支給期	支給の基準（金額）	
1 青色 京子	女	△歳 3年	接客 週△時間程度		毎月 △日	160,000 円	毎年6月 毎年12月	2か月分 2か月分	毎年おおむね △％
2									
3									
4									

※ 別に給与規程を定めているときは、その写しを添付してください。

関与税理士 (TEL　－　－　)	税務署整理欄	整理番号　　　　関係部門連絡 A B C		
		0		
		通信日付印の年月日　確認 年　月　日		

他の職業がある場合や、就学している場合は記入する。

金額か、「〇か月分」などにする。

　青色申告の場合は、労働の対価として相当な額であればすべて必要経費に算入できます。ここでいう「労働の対価として相当」とは、次のように考えられています。平たくいえば、「世間で常識とされる相場までは大丈夫」「同業界の同規模の会社の従業員の給与と比較して相応である」ということです。

「労働の対価として相当な額」とは？

○労務に従事した期間、労務の性質、提供の度合いから見て妥当

○従業員がいる場合には、従業員の労務対価と比較して適正

○事業の種類、規模が類似する他の事業者の支給状況に照らして相当

 ## 専従者給与を必要経費にするには届出が必要

　青色事業専従者給与を必要経費に算入するためには、税務署に青色事業専従者給与に関する届出書を提出する必要があります。期日はその年の3月15日までです。ただし、その年の1月16日以後に事業を開始した方や新たに専従者がいることになった方については、開業の日や専従者がいることになった日から2か月以内となっています。

　なお、専従者給与の金額の基準を変更する場合や新たに専従者が加わった場合には、遅滞なく変更届を提出することになっています。

 家族への給与（専従者給与）を経費にして節税しよう！

⑤ 給与支払事務所開設と源泉所得税の届出

飲食店経営
Iさん

従業員を雇ったら、どんな手続きが必要になりますか？

給与支払事務所等の開設届出書を提出します。
アルバイトやパートを雇った場合も提出が必要ですよ。

従業員を雇ったら
届出を忘れずに！

◎従業員の給与を支払う場合には、**所得税の源泉徴収が**必要です。
◎源泉徴収をした所得税は、翌月10日までに税務署に納付します。

従業員を雇ったら給与支払事務所等の開設届出書

　従業員を雇って給与の支払いが生じた場合は、給与支払事務所等の開設届出書の提出が必要となります。ここでいう従業員には、アルバイトやパートも含まれます。

　従業員に給与を支払うことになると、事業主は源泉徴収義務者となり、給与から源泉所得税を徴収（源泉徴収）して、それを**翌月10日までに納税**することが義務づけられています。源泉徴収は、給与や賞与の支給額に応じた所得税額を計算して、給与や賞与から天引きするというものです。

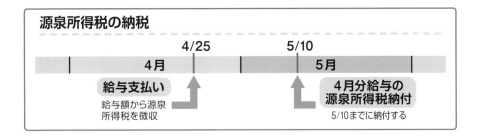

源泉所得税の納税

	4/25		5/10	
	4月		5月	
給与支払い 給与額から源泉所得税を徴収				**4月分給与の源泉所得税納付** 5/10までに納付する

給与支払事務所等の開設届

納税地を所轄する
税務署名を記入する。

＊納税地については 37 ページ参照。

※整理番号

税務署受付印

給与支払事務所等の開設・移転・廃止届出書

令和 △ 年 4 月30日

神田 税務署長殿

所得税法第230条の規定により次の
とおり届け出ます。

事務所開設者	住所又は本店所在地	〒101-△△△△ 東京都千代田区神田△－△ 電話（ 03 ） 0000 － 0000
	（フリガナ）	イザカヤ　ヒロ
	氏名又は名称	居酒屋ひろ
	個人番号又は法人番号	△△△△△△△△△△△△
	（フリガナ）	サトウ　ヒロシ
	代表者氏名	佐藤　浩志

（注）「住所又は本店所在地」欄については、個人の方については申告所得税の納税地、法人については本店所在地（外国法人の場合には国外の本店所在地）を記載してください。

| 開設・移転・廃止年月日 | 令和 △ 年 4 月 1 日 | 給与支払を開始する年月日 | 令 和 △ 年 5 月 15 日 |

○届出の内容及び理由
（該当する事項のチェック欄□に✓印を付してください。）

		「給与支払事務所等について」欄の記載事項
		開設・異動前	異動後
開設	☑ 開業又は法人の設立 □ 上記以外 ※本店所在地とは別の所在地に支店等を開設した場合	開設した支店等の所在地	
移転	□ 所在地の移転	移転前の所在地	移転後の所在地
	□ 既存の給与支払事務所等への引継ぎ （理由）□ 法人の合併 □ 法人の分割 □ 支店等の閉鎖 　　　　□ その他（　　　　　）	引継ぎをする前の給与支払事務所等	引継先の給与支払事務所等
廃止	□ 廃業又は清算結了 □ 休業		
その他（　　　　　）		異動前の事項	異動後の事項

○給与支払事務所等について

	開設・異動前	異動後
（フリガナ）		
氏名又は名称		
住所又は所在地	〒 電話（　　）　－	〒 電話（　　）　－
（フリガナ）		
責任者氏名		

| 従事員数 | 役員　　　人 | 従業員　1人 | （　　）人 | （　　）人 | （　　）人 | 計　　人 |

（その他参考事項）

| 税 理 士 署 名 | |

※税務署処理欄	部門	決算期	業種番号	入力	名簿等	用紙交付	通信日付印	年 月 日	確認	（規格A4）
	番号確認	身元確認 □ 済 □ 未済	確認書類 個人番号カード／通知カード・運転免許証 その他（　　　）							

03.06 改正

開業の場合は記入しない。

開設した月に給与の支払いがない場合、支払いを開始した日か予定日を記入する。

源泉所得税には納期の特例がある

翌月10日までに支払うことが義務づけられている源泉所得税ですが、給与の支払いを受ける人数が**常時10人未満の事業所は、納期限を次のように半年に1回に延ばすことが認められています。**

翌月10日にうっかり源泉所得税を納め忘れていたりすると、不納付加算税（5%）が課される可能性があるので、この申請を検討しましょう。

源泉所得税の納期の特例を受けられると…

1～6月分	7～12月分
納期限 **7月10日まで**	納期限 **翌年1月20日まで**

この特例を受けるために提出するのが、**源泉所得税の納期の特例の承認に関する申請書**です。注意したいのは、提出してもすぐには納期限が延長されない点です。特例の対象となるのは申請月の翌月分からです。

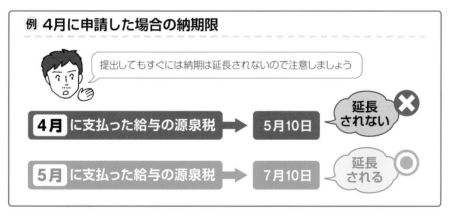

例 4月に申請した場合の納期限

提出してもすぐには納期は延長されないので注意しましょう

4月 に支払った給与の源泉税 → 5月10日	延長されない ✕
5月 に支払った給与の源泉税 → 7月10日	延長される ◯

簡単経理のツボ！ 1-06

納期の特例の承認に関する申請書を提出して
源泉所得税を半年に1回の納付にしよう。

源泉所得税の納期の特例の承認に関する申請書

納税地を所轄する
税務署名を記入する。

＊納税地については 37 ページ参照。

源泉所得税の納期の特例の承認に関する申請書

税務署受付印

※整理番号

住 所 又 は 本 店 の 所 在 地	〒101-△△△△ 東京都千代田区神田△－△ 電話 03 － 0000 － 0000
（フリガナ）	イザカヤ　ヒロ
氏 名 又 は 名 称	居酒屋ひろ
法 人 番 号	令個人の方は個人番号の記載は不要です。 △△△△△△△△△△△△△
（フリガナ）	サトウ　ヒロシ
代 表 者 氏 名	佐藤　浩志

令和 △ 年 4 月 30 日

神田 税務署長殿

次の給与支払事務所等につき、所得税法第 216 条の規定による源泉所得税の納期の特例についての承認を申請します。

給与支払事務所等に関する事項	給与支払事務所等の所在地 ※ 申請者の住所（居所）又は本店（主たる事務所）の所在地と給与支払事務所等の所在地とが異なる場合に記載してください。	〒 電話 － －		
	申請の日前 6 か月間の各月末の給与の支払を受ける者の人員及び各月の支給金額 〔外書は、臨時雇用者に係るもの〕	月 区 分	支 給 人 員	支 給 額
		△年 4月	外 1人	外 160,000 円
		年 月	外 人	外 円
		年 月	外 人	外 円
		年 月	外 人	外 円
		年 月	外 人	外 円
	1 現に国税の滞納があり又は最近において著しい納付遅延の事実がある場合で、それがやむを得ない理由によるものであるときは、その理由の詳細 2 申請の日前 1 年以内に納期の特例の承認を取り消されたことがある場合には、その年月日			

税 理 士 署 名	

※税務署処理欄	部門	決算期	業種番号	番号	入力	名簿	通信日付印	年 月 日	確認	

03.06 改正

臨時で雇い入れた人がいる場合は、それぞれ「外」の欄に記入する。

⑥ 消費税に関する届出

開業初年度に設備投資費がかなりかかったのですが…。

飲食店経営
Iさん

消費税課税事業者選択届出書を提出すると、支払いすぎた消費税の還付を受けられることがありますよ。

開業年に税の還付を
受けられることも

◎**消費税**は**事業者免税点**（小規模な事業者は申告しなくてよい）という制度があります。
◎開業初年度に**消費税課税事業者選択届出書**を提出すると、消費税の還付を受けられる可能性があります。

開業したら免税事業者、課税事業者の選択を

　消費税とは、商品の販売やサービスの提供などの取引に対して消費者が負担し、事業者が納税する税金のことです。ただし、消費税の申告・納税はすべての事業者に義務づけられているわけではありません。**小規模の事業者は申告・納税しなくてもよいという制度があり**（事業者免税点制度→214ページ）、消費税の申告・納税をしなくてもいい事業者を**消費税の免税事業者**といいます。

　また、2023年10月からスタートした**インボイス制度**は、**適格請求書（インボイス）発行事業者**に登録することで消費税を請求できるという制度で、開業初年度からインボイスに登録するか否かを選択する必要があります。仮に事業規模が小さくて免税事業者の要件を満たしていたとしてもインボイスに登録した場合は、課税事業者となります。免税事業者、課税事業者の選択は、事業のメリット・デメリットを考えて判断する必要があります（62ページ〜）。

　課税事業者の選択をした、もしくは事業規模が大きくなって消費税を申告する義務が生じたら、**消費税課税事業者届出書**を提出します。

消費税課税事業者届出書（基準期間用）

✳納税地については 37 ページ参照。

課税期間の初日と末日を記入する。

納税地を所轄する税務署名を記入する。

屋号があれば記入する。

税込の総売上高を記入する。

非課税売上にあたるもの（家賃収入など）を除いた、税込の売上高を記入する。

適用される課税期間の 2 年前にあたる年を記入する。

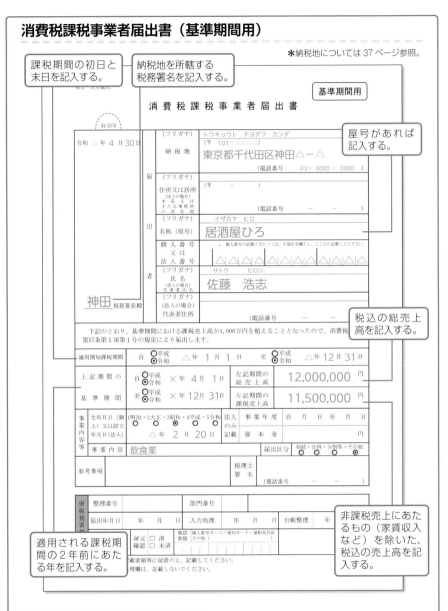

第3-(3)号様式

基準期間用

消費税課税事業者届出書

収受印

令和 △ 年 4 月 30 日

届出者

納税地	（フリガナ）トウキョウト チヨダク カンダ （〒 101－△△△△） 東京都千代田区神田△－△ （電話番号 03 － 0000 － 0000 ）
住所又は居所 （法人の場合） 本 店 又 は 主たる事務所 の 所 在 地	（フリガナ） （〒 － ） （電話番号 ）
名称（屋号）	（フリガナ）イザカヤ ヒロ 居酒屋ひろ
個人番号又は法人番号	↓ 個人番号の記載に当たっては、左端を空欄とし、ここから記載してください。 △△△△△△△△△△△△
氏 名 （法人の場合） 代表者氏名	（フリガナ）サトウ ヒロシ 佐藤 浩志
代表者住所 （法人の場合）	（フリガナ） （電話番号 － － ）

神田 税務署長殿

下記のとおり、基準期間における課税売上高が1,000万円を超えることとなったので、消費税法第57条第1項第1号の規定により届出します。

適用開始課税期間	自 ○平成 ●令和 △年 1 月 1 日 至 ○平成 ●令和 △年 12 月 31 日		
上記期間の基準期間	自 ○平成 ●令和 ×年 4 月 1 日	左記期間の総売上高	12,000,000 円
	至 ○平成 ●令和 ×年 12 月 31 日	左記期間の課税売上高	11,500,000 円

事業内容等	生年月日（個人）又は設立年月日（法人） 1明治・2大正・3昭和・4平成・5令和 △年 2 月 20 日	法人のみ記載	事業年度 自 月 日 至 月 日
			資 本 金
	事業内容 飲食業		届出区分 相続・合併・分割等・その他 ○ ○ ○ ○

参考事項		税理士署名	（電話番号 － － ）

※税務署処理欄	整理番号		部門番号	
	届出年月日 年 月 日	入力処理 年 月 日	台帳整理 年
	身元確認 □ 済 □ 未済	確認書類 個人番号カード／通知カード・運転免許証 その他（ ）	

注1. 裏面の記載要領等に留意の上、記載してください。
2. 税務署処理欄は、記載しないでください。

消費税課税事業者届出書には、次の 2 つがある。
● **基準期間用** 前々年の課税売上高が1,000万円を超えたことで納税義務が免除されない場合に提出する（このページの届出書）。
● **特定期間用** 前々年の課税売上高が1,000万円以下である事業者が、特定期間（前年1月1日〜6月30日）における課税売上高が1,000万円を超えたことで納税義務が免除されない場合に提出する。

消費税の還付を受けられる場合がある

免税事業者になれるかどうかは、判定する年の前年と前々年の売上高などから判定することになっているので、開業初年度は消費税の申告義務はありません。1年間は何も手続きしなければ、免税事業者になります。

消費税は、原則として売上にかかる消費税から仕入れや経費、設備投資などにかかる消費税を控除した差額を納税します（課税方式の選択や非課税となる売上によって計算方法が異なる場合もあります）。

一般的な消費税の計算（一般課税 ➡216ページ参照）

| 売上にかかる消費税 | − | 仕入や経費にかかる消費税 | = | 消費税の納付税額 |

このため、開業1年目に事務所や店舗の内装費、改修費など多額の設備投資を行った場合に、売上にかかる消費税よりも仕入、設備投資等にかかる消費税のほうが多くなることがあります。この場合、**支払い過ぎの消費税を還付してもらうことができます**。ただし、免税事業者では申告書を提出することができないので、**消費税課税事業者選択届出書**を提出して消費税の還付を受けることができます（52ページの書式ではありません。55ページ参照）。

消費税の還付の可能性を検討

課税事業者の選択は、初年度の還付金額だけでなく、
2年目以降の状況も予測したうえで、慎重に判断してください

 売上 − 仕入 − 必要経費
（人件費、保険料、租税公課などを除く）
12月31日までの予測金額

B **設備投資額**
（土地などを除く）

 の場合 ➡ 消費税の還付の可能性を検討

（注）還付申告には消費税課税事業者選択届出書の期限内提出が必要。
原則として2年間はやめることができない。

＊免税事業者は、消耗品費や減価償却資産の取得価額を「消費税込金額」で判定することにも注意（136ページ参照）。

2年間は課税事業者を継続しなければならない

　課税事業者の選択についての判断は安易にしてはいけません。**消費税の還付を受ける目的で課税事業者の選択をした場合、2年間（一定の場合は3年間）は課税事業者を継続しなければなりません。**還付を受けた翌年は消費税を支払う可能性もあります。逆に、課税事業者になる（インボイス登録する）ことで取引上有利になることもあり得ます（62ページ）。**消費税の課税事業者を選択するには、開業から数年間の事業計画に基づくシミュレーションの結果で有利不利の判定を行う必要があるのです。**

　なお、消費税の課税事業者選択届出書の提出期限は、**課税事業者を選択しようとする年の前年末日まで**です。適用を受けようとする年度が開業初年度の場合にはその**課税期間の末日**までです（ただし、年末は窓口が閉まっているので、閉庁時間を確認して窓口に提出すること）。

　なお、免税事業者がインボイス登録（66ページ）を行った場合、課税事業者選択届出書の提出は不要となります（2029年9月30日まで）。

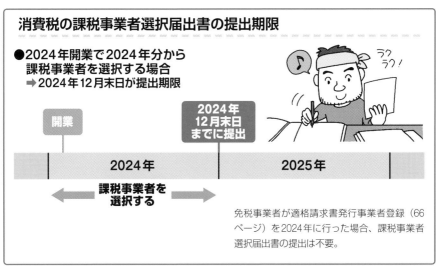

消費税の課税事業者選択届出書の提出期限

●2024年開業で2024年分から
　課税事業者を選択する場合
➡2024年12月末日が提出期限

開業

2024年
12月末日
までに提出

2024年　　　　2025年

課税事業者を
選択する

免税事業者が適格請求書発行事業者登録（66ページ）を2024年に行った場合、課税事業者選択届出書の提出は不要。

簡単
経理の
ツボ！
1-07

開業初年度に消費税の還付を受けたいのなら、消費税課税事業者選択届出書を提出しよう！ただし、2年間は継続しなければならないので選択は慎重に。

消費税課税事業者選択届出書

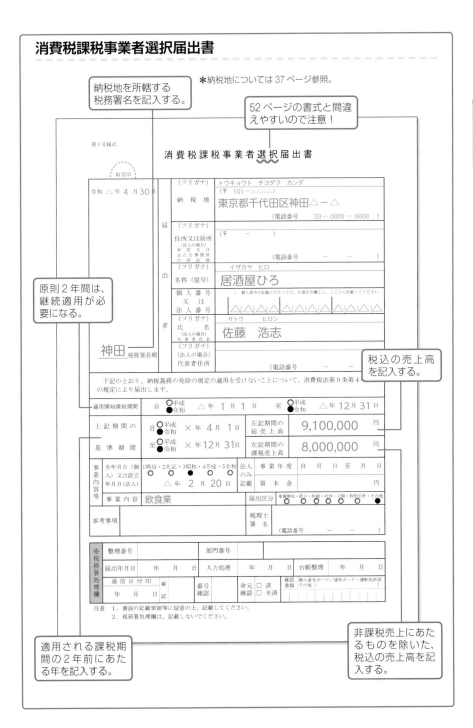

納税地を所轄する
税務署名を記入する。

＊納税地については 37 ページ参照。

52 ページの書式と間違
えやすいので注意！

第1号様式

収受印

消 費 税 課 税 事 業 者 選 択 届 出 書

		(フリガナ)	トウキョウト チヨダク カンダ
令和 △年 4 月30日	納 税 地		(〒 101−△△△△) 東京都千代田区神田△−△ (電話番号 03 − 0000 − 0000)
届	(フリガナ) 住所又は居所 (法人の場合) 本店又は 主たる事務所 の 所 在 地		(〒 −) (電話番号 − −)
出	(フリガナ) 名称(屋号)		イザカヤ ヒロ 居酒屋ひろ
	個人番号 又は 法人番号		↓ 個人番号の記載に当たっては、左端を空欄とし、ここから記載してください。 △△△△△△△△△△△△
者	(フリガナ) 氏 名 (法人の場合) 代表者氏名		サトウ ヒロシ 佐藤 浩志
	(フリガナ) (法人の場合) 代表者住所		(電話番号 − −)

神田 税務署長殿

原則2年間は、
継続適用が必
要になる。

下記のとおり、納税義務の免除の規定の適用を受けないことについて、消費税法第9条第4項
の規定により届出します。

適用開始課税期間	自 ○平成 ●令和 △年 1 月 1 日 至 ○平成 ●令和 △年 12 月 31 日			
上 記 期 間 の 基 準 期 間	自 ○平成 ●令和 ×年 4 月 1 日	左記期間の 総 売 上 高	9,100,000	円
	至 ○平成 ●令和 ×年 12 月 31 日	左記期間の 課税売上高	8,000,000	円
事業内容等	生年月日(個人)又は設立年月日(法人) 1明治・2大正・3昭和・4平成・5令和 ○ ○ ● ○ ○ △年 2 月 20 日	法人のみ記載	事業年度 自 月 日 至 月 日 資 本 金	円
	事業内容 飲食業	届出区分	事業開始・設立・相続・合併・分割・特別会計・その他 ○ ○ ○ ○ ○ ○ ●	
参考事項		税理士署名	(電話番号 − −)	

税込の売上高
を記入する。

※税務署処理欄	整理番号		部門番号			
	届出年月日 年 月 日	入力処理 年 月 日		台帳整理 年 月 日		
	通 信 日 付 印 年 月 日	確認	番号 確認	身元 確認	□ 済 □ 未済	確認書類 個人番号カード/通知カード・運転免許証 その他 ( )

注意 1. 裏面の記載要領等に留意の上、記載してください。
2. 税務署処理欄は、記載しないでください。

適用される課税期
間の2年前にあた
る年を記入する。

非課税売上にあた
るものを除いた、
税込の売上高を記
入する。

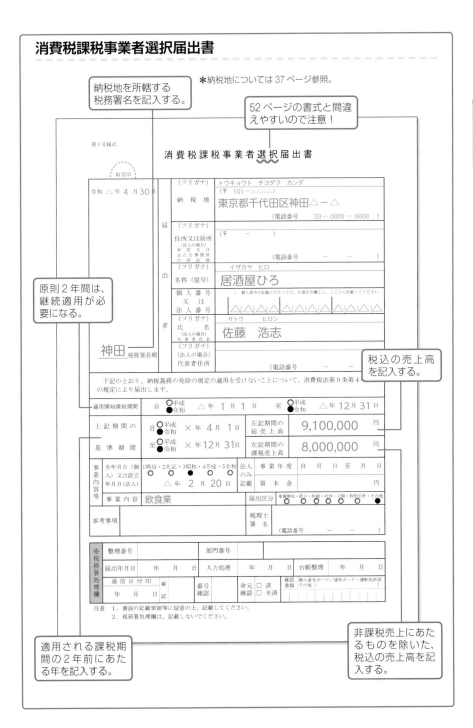

簡易課税制度で事務負担を減らそう

前述したように消費税は、「売上とともに預かった消費税」から「仕入、経費、備品などの購入代金とともに支払った消費税」を差し引いて納税額を算出します。取引1件ごとに消費税の課税・非課税を判定し、税率ごとに集計しなければならないので、大きな事務負担が発生します。

そのため、小規模な事業者について簡単な方法で消費税の税金を計算できる制度が設けられています。これを**簡易課税制度**といい、**前々年の売上が5,000万円以下の小規模事業者が選択できます。**この制度の適用を受けるには、**消費税簡易課税制度選択届出書**を所定の期限までに所轄の税務署に提出する必要があります。

消費税簡易課税制度選択届出書の提出期限は、**選択しようとする年の前年の末日まで**です<適格請求書発行事業者登録（61ページ）を受ける場合は提出期限が異なる（下図参照）>。

この簡易課税制度の目的はあくまで事務負担の軽減にありますが、実務の現場では本来の計算方法と簡易課税の税額とを比較して申告する、といったことが行われています。合法的な節税のために、簡易課税制度が利用されているのです。そこで収支や設備投資の予想を立て、どちらの方法が有利か試算してみるとよいでしょう（一般課税、簡易課税それぞれの計算方法は第8章を参照）。

なお、**簡易課税制度を選択した場合には、原則2年間は継続適用しなければなりません**ので注意してください。また、取りやめるときには前年の12月末日までに**消費税簡易課税制度選択不適用届出書**を提出する必要があります。

消費税簡易課税制度選択届出書の提出

（例）免税事業者である個人事業者が2024年10月1日から適格請求書発行事業者登録（66ページ）を受ける場合で、2024年分の申告において簡易課税制度の適用を受けるとき

2023〈令和5〉年分	2024〈令和6〉年分	2025〈令和7〉年分
	2024〈令和6〉年登録日 （2024年10月1日）↓	
免税事業者	免税事業者 ┊ 適格請求書 発行事業者 （課税事業者）	適格請求書発行事業者 （課税事業者）

←─────── 提出期限 ───────

消費税簡易課税制度選択届出書提出
（2024年12月31日までに提出）※2024年分から適用する旨を記載

消費税簡易課税制度選択届出書

＊納税地については 37 ページ参照。

> 納税地を所轄する
> 税務署名を記入する。

> 原則 2 年間は、
> 継続適用が必要になる。

消 費 税 簡 易 課 税 制 度 選 択 届 出 書

収受印			
令和△年 4 月 30 日	届出者	（フリガナ）納 税 地	トウキョウ　チヨダク　カンダ（〒 101 －△△△△）東京都千代田区神田△ー△（電話番号　03 －0000 －0000 ）
		（フリガナ）氏 名 又 は名 称 及 び代 表 者 氏 名	タナカ　　　ハルコ田中　春子※個人の方は個人番号の記載は不要です。
神田　税務署長殿		法 人 番 号	

下記のとおり、消費税法第37条第1項に規定する簡易課税制度の適用を受けたいので、届出します。

☐ 所得税法等の一部を改正する法律（平成28年法律第15号）附則第51条の2第6項の規定又は消費税法施行令等の一部を改正する政令（平成30年政令第135号）附則第18条の規定により消費税法第37条第1項に規定する簡易課税制度の適用を受けるため、届出します。

①	適用開始課税期間	自　令和　6 年　1 月　1 日　　至　令和　6 年　12 月　31 日	
②	①の基準期間	自　令和　4 年　1 月　1 日　　至　令和　4 年　12 月　31 日	
③	②の課税売上高	13,000,000　　　　　　　　円	

> 適用される課税期間の前々年を記入する。

事 業 内 容 等	（事業の内容）Webサイトのデザイン等	（事業区分）第 5 種事業

> 事業区分は、第 1 種～第 6 種に分かれる（228 ページ参照）。

提出要件の確認	次のイ、ロ又はハの場合に該当する（「はい」の場合のみ、イ、ロ又はハの項目を記載してください。）		はい ☐　いいえ ☑
	イ	消費税法第9条第4項の規定により課税事業者を選択している場合	課税事業者となった日から2年を経過する日までの間に開始した各課税期間中に調整対象固定資産の課税仕入れ等を行っていない　はい ☐
	ロ	消費税法第12条の2第1項に規定する「新設法人」又は同法第12条の3第1項に規定する「特定新規設立法人」に該当する（該当していた）場合	設立の日の属する課税期間……基準期間がない事業年度に含まれる各課税期間中に調整対象固定資産の課税仕入れ等を行っていない　はい ☐
	ハ	消費税法第12条の4第1項に規定する「高額特定資産の仕入れ等」を行っている場合（同条第2項の規定の適用を受ける場合）	A　仕入れ等を行った課税期間の初日　令和　　年　　月　　日　　この届出による①の「適用開始課税期間」は、高額特定資産の仕入れ等を行った課税期間の初日から、同日以後3年を経過する日の属する課税期間までの各課税期間に該当しない　はい ☐
			B　仕入れ等を行った課税期間の初日　平成／令和　　年　　月　　日　建設等が完了した課税期間の初日　令和　　年　　月　　日　　この届出による①の「適用開始課税期間」は、自己建設高額特定資産の建設等に要した仕入れ等に係る支払対価の額の累計額が1千万円以上となった課税期間の初日から、自己建設高額特定資産の建設等が完了した課税期間の初日以後3年を経過する日の属する課税期間までの各課税期間に該当しない　はい ☐

※ 消費税法第12条の4第2項の規定による場合は、ハの項目を次のとおり記載してください。「仕入れ等を行った課税期間の初日」は、「自己建設高額特定資産の建設等に要した仕入れ等に係る支払対価の額の累計額が1千万円以上となった課税期間の初日」と、「建設等が完了した課税期間の初日」は、「自己建設高額特定資産の建設等が完了した課税期間の初日」と読み替える。

※ この届出書を提出した課税期間が、上記イ、ロ又はハに記載の各課税期間である場合、この届出書提出後、届出を行った課税期間中に調整対象固定資産の課税仕入れ又は高額特定資産の仕入れ等を行うと、原則としてこの届出書の提出はなかったものとみなされます。詳しくは、裏面をご確認ください。

参 考 事 項	
税 理 士 署 名	（電話番号　　　－　　　　－　　　　）

※税務署処理欄	整理番号			部門番号					
	届出年月日	年　月　日		入力処理	年　月　日		台帳整理	年　月　日	
	通信日付印　年　月　日		確認	番号確認					

注意　1．裏面の記載要領等に留意の上、記載してください。
　　　2．税務署処理欄は、記載しないでください。

簡単経理のツボ！ 1-08

消費税の事務負担を軽くしたいのなら、簡易課税制度を利用しよう！

⑦ 消費税とインボイス

免税事業者なんですが、取引先との関係で課税事業者の登録をしたほうがいいのか迷っています。

フリーライター
Dさん

取引先との関係のほかに、事業所得の増減予測、納税の事務負担もあわせて考えましょう。

課税事業者への移行は
特例措置の利用を！

◎免税事業者、課税事業者の選択は、事業所得の増減予測、取引先との関係、消費税の申告納税の事務負担などをあわせて検討しましょう。
◎免税事業者から課税事業者への移行では、特例措置が利用できます。

インボイスが仕入税額控除の条件になった

　小規模な事業者（前々年の課税売上高が1,000万円以下など）は消費税の申告納税義務が免除されますが（**事業者免税点制度**）、免税事業者の請求した消費税の一部は事業者の利益になっていました。そこで課税の公平性を保つため、2023年10月から施行されることになったのが**インボイス制度（適格請求書等保存方式）**です。

　消費税は、原則として「売上にかかる消費税」から「仕入や経費などにかかる消費税」を控除した差額を納税することになっています（一般課税の場合）。

売上にかかる消費税	−	仕入や経費にかかる消費税	=	消費税の納付税額

　インボイス制度とは、簡単にいうと、登録を受けた課税事業者が発行する適格請求書（インボイス）等の保存と帳簿記載をすることで、仕入や経費にかか

る消費税を控除できる、という制度です。仕入や経費にかかる消費税を控除することを**仕入税額控除**といいますが、2023年10月以前は、免税事業者からの仕入等についても、仕入税額控除ができました。しかし、2023年10月以後は、登録を受けていない免税事業者が消費税を請求した場合は、その消費税の仕入税額控除が原則できません。

なお、適格請求書は、次の形式で作成された請求書のことで、**適格請求書発行事業者の登録を受けたときに発行される**登録番号**を請求書に記載する**必要があります。

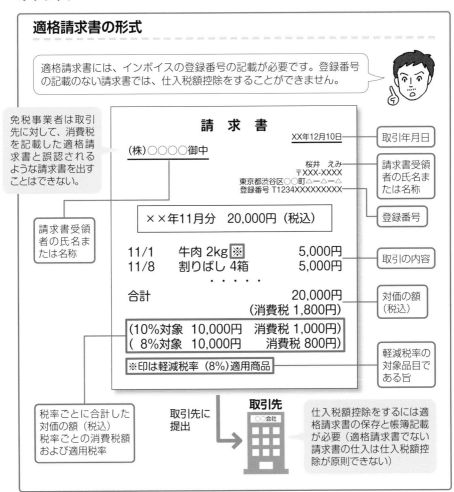

適格請求書の形式

適格請求書には、インボイスの登録番号の記載が必要です。登録番号の記載のない請求書では、仕入税額控除をすることができません。

免税事業者は取引先に対して、消費税を記載した適格請求書と誤認されるような請求書を出すことはできない。

請求書受領者の氏名または名称

請求書

XX年12月10日 ← 取引年月日

(株)○○○○御中

桜井　えみ
〒XXX-XXXX
東京都渋谷区○○町△−△−△
登録番号 T1234XXXXXXXXX ← 請求書受領者の氏名または名称

登録番号

××年11月分　20,000円（税込）

11/1　牛肉 2kg ※　　　　5,000円
11/8　割りばし 4箱　　　　5,000円
・・・・・

合計　　　　　　　　20,000円
　　　　　　　（消費税 1,800円）

(10%対象　10,000円　消費税 1,000円)
(8%対象　10,000円　消費税 800円)

※印は軽減税率（8%)適用商品

取引の内容

対価の額（税込）

軽減税率の対象品目である旨

税率ごとに合計した対価の額（税込）
税率ごとの消費税額および適用税率

取引先に提出

取引先
○○会社

仕入税額控除をするには適格請求書の保存と帳簿記載が必要（適格請求書でない請求書の仕入は仕入税額控除が原則できない)

仕入税額控除には適格請求書と帳簿の保存が必要

　インボイス以前の制度では、免税事業者が消費税を計上した請求書を発行した場合でも仕入税額控除をすることができましたが、インボイス制度導入後は、登録を受けた課税事業者が交付する適格請求書と帳簿の保存が、仕入税額控除の要件とされます。

　つまり、仕入税額控除の対象が、消費税の課税事業者で、税務署の登録を受けた者に限定されるということです。免税事業者は適格請求書を発行できないため、免税事業者から仕入れた取引先は、免税事業者が計上する消費税について仕入税額控除ができません。

　免税事業者からの仕入等を行う事業者にとっては、自由競争の観点から、同じ対価で、仕入税額控除ができる取引先とできない取引先がいた場合、仕入税額控除をできる事業者を選択する可能性が高くなります。

適格請求書等保存方式（インボイス制度）の内容

てきかくせいきゅうしょ
適格請求書

「売手が、買手に対し正確な適用税率や消費税額等を伝えるための手段」であり、一定の事項が記載された請求書や納品書その他これらに類する書類をいう。

請求書や納品書、領収書、レシート等、その書類の名称は問いません

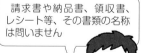

てきかくせいきゅうしょはっこう じぎょうしゃとうろくせいど
適格請求書発行事業者登録制度

❶適格請求書を交付できるのは、適格請求書発行事業者に限られる。

❷適格請求書発行事業者となるためには、税務署長に「適格請求書発行事業者の登録申請書」を提出し、登録を受ける必要がある。なお、課税事業者でなければ登録を受けることはできない。

適格請求書発行事業者は、基準期間の課税売上高が1,000万円以下となった場合であっても免税事業者にはならず、消費税の申告義務が生じます

なお、消費税の課税事業者である場合*には、適格請求書発行事業者の登録を行って、番号を取得し、請求書等に記載することで、今までと変わらずに取引を行うことができます。

*前々年の課税売上高が 1,000 万円超の場合または消費税の課税事業者選択届出書を税務署に提出済みの場合（53、214 ページ）。

 ## インボイス制度による影響緩和のための経過措置がある

　インボイス制度は、免税事業者との取引がある課税事業者は仕入税額控除の額が少なくなって、消費税額が増額するという影響が考えられます。そのため今後免税事業者にとって取引上不利になることも考えられます。これらの影響を緩和するために一定期間、経過措置が設けられています。

　経過措置は、免税事業者からの仕入についても、下の図の期間については、一定の割合を仕入税額控除できるという制度です。

　免税事業者にとっては、課税事業者への転換をすべきかどうか、検討しやすくなりました。

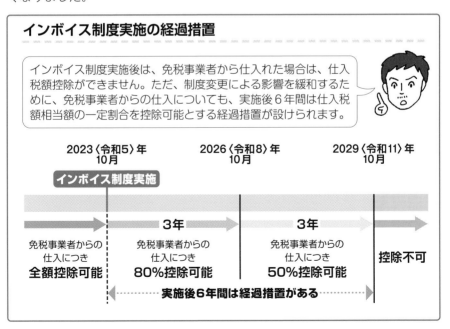

インボイス制度実施の経過措置

インボイス制度実施後は、免税事業者から仕入れた場合は、仕入税額控除ができません。ただ、制度変更による影響を緩和するために、免税事業者からの仕入についても、実施後 6 年間は仕入税額相当額の一定割合を控除可能とする経過措置が設けられます。

| 2023〈令和5〉年
10月 | 2026〈令和8〉年
10月 | 2029〈令和11〉年
10月 |

インボイス制度実施

| | 3年 | 3年 | |
| 免税事業者からの
仕入につき
全額控除可能 | 免税事業者からの
仕入につき
80%控除可能 | 免税事業者からの
仕入につき
50%控除可能 | **控除不可** |

◀------- **実施後6年間は経過措置がある** -------▶

課税事業者に転換すべきかどうかの判断は？

　免税事業者を継続するか、インボイスの登録をするかの判断基準は、いくつかあります。

❶売上高の現状と推移、近未来予測
❷取引先との関係
❸請求書作成の事務負担増加
❹消費税の申告納税義務の発生（増税の可能性が大きい）
＊ただし、納付する消費税額だけ利益は減るので、所得税、住民税、消費税の総額で判断する必要があります。

　免税事業者であることを選択しても取引先に消費税を請求することはできます。しかし、**取引先は消費税の仕入税額控除ができない*ので、その分、値引き交渉を受ける可能性があります。**（*現在は経過措置期間中で仕入税額控除ができる）

　また、消費税を請求しないことにして単価をアップしてもらうことを取引先に交渉するケースもあると思います。しかし、取引先には次のようなデメリットがあります。

・仕入れ単価が上がった（小売価格等を改定できない場合、販売利益が減る）

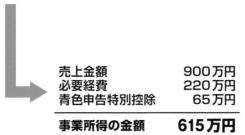

免税事業者、インボイス発行事業者の比較

免税事業者のままで、消費税が請求できなくなったケース

2024年の売上 900万円（消費税を請求しない）

消費税の申告納税義務はないので、この売上と必要経費で所得税の確定申告をする。

売上金額	900万円
必要経費	220万円
青色申告特別控除	65万円
事業所得の金額	**615万円**

＊免税事業者は、消耗品費や減価償却資産の取得価額を「消費税込金額」で判定することにも注意（136ページ参照）。

・消費税の仕入税額控除ができない（消費税の負担が増える）
・事業者ごとに、適格請求書発行事業者であるかないかの判定をする必要があるため、経理事務の負担が増加する。

　商品販売先やサービス提供先が、事業者ではなく、個人消費者の場合には、仕入税額控除には無関係なので免税事業者の継続を選択しても問題ないでしょう。

　インボイス発行事業者となることによるメリットは、取引先の契約解除、他の業者への乗り換えなどのリスクを軽減することが挙げられます。

　デメリットは、消費税の申告納税義務が発生するため、税負担が増える可能性があること、請求書発行や帳簿作成についての事務負担が増えることなどがあります。

　売上が1,000万円以下の事業者にとっては、受注が少し増えることで課税売上高が1,000万円超となり、選択しなくても課税事業者となる可能性もあります。

　ご自身の置かれている状況を総合的に判断してどちらを選択するのかを判断する必要があります。なお、下の図にある比較も参考にしてください。

（売上900万円、必要経費220万円として比較）

インボイス発行事業者を登録したケース

2024年の売上 900万円＋消費税90万円＝990万円
一般課税方式 仕入税額控除額**20万円** 差引納付税額90万円-20万円＝**70万円**
簡易課税方式 仕入税額控除額**63万円** 差引納付税額90万円-63万円＝**27万円**
　　　　　　　　　　　＊簡易課税の業種区分は第三種、製造業の場合。

消費税は、所得税の計算上は必要経費となる。
（消費税の簡易課税選択届出書を提出しているケース）

売上金額	990万円
必要経費	220万円
必要経費（消費税）	27万円
青色申告特別控除	65万円
事業所得の金額	**678万円**

＊税込経理で計算

インボイス発行事業者の登録申請書の提出

インボイス（適格請求書）発行事業者の登録申請書は随時提出できます。提出先は納税地を所轄する税務署です（免税事業者は、 登録申請の際に登録希望日を記載することで、その登録希望日から登録を受けられる）。

なお、国税に関する各種手続きをインターネット等を利用して行えるe-Taxでも登録申請ができます。e-Taxで申請した場合、電子データで登録通知が受け取れます。登録通知には請求書等に記載する登録番号が記されており、紛失の心配がありません。登録申請できるe-Taxソフトには次の3つがあります。

❶WEB版…パソコンのWEBブラウザ上で入力するタイプ

❷SP版…スマートフォン、タブレット専用のアプリを使用するタイプ

❸PC版…パソコン用のソフトを使用するタイプ

個人事業者はどれを使っても申請ができますが、WEB版とSP版では画面に表示された質問に回答することで入力できる「問答形式」となっています。

e-Taxソフトの概要

	WEB版*	SP版*	PC版
電子証明書	必要		
ダウンロード	不要		必要
利用できる端末	パソコン	スマートフォン タブレット	パソコン
作成形式	問答形式 （画面に表示された質問に回答して入力）		帳票形式 （書面の各項目に入力）
利用可能者	法人・個人事業者	個人事業者**	法人・個人事業者
代理送信***	可能	不可	可能

＊ WEB 版、SP 版を利用するには、マイナンバーカード等の電子証明書が必要。
＊＊個人で国外事業者の場合は、WEB 版を利用する必要がある。
＊＊＊代理送信とは、税理士が代理して送信すること。

国税庁の特設サイト、動画サイトを利用しよう

●国税庁の特設サイト

国税庁はインボイス制度を周知させるために「特設サイト」を用意しています。インボイス制度の基本的な内容、よくある質問、e-Taxソフトの操作方法などを紹介しています。

国税庁　インボイス　特設サイト	🔍 検索

https://www.nta.go.jp/taxes/shiraberu/zeimokubetsu/shohi/keigenzeiritsu/invoice.htm

●オンライン説明会

また、国税庁では、インボイス制度について講師がわかりやすく解説するオンライン説明会を開催しています。全国どこからでも参加可能で、チャット機能を利用した質疑応答もできます。

国税庁　インボイス　オンライン説明会	🔍 検索

https://www.nta.go.jp/taxes/shiraberu/zeimokubetsu/shohi/keigenzeiritsu/invoice_setsumeikai.htm

●国税庁動画チャンネル

YouTubeの国税庁動画チャンネルでは、インボイス制度を全4回にわたって講義形式で解説しています。

消費税！ 今から学ぼう！ インボイス塾！	🔍 検索

なお、国税庁動画チャンネルでは過去に実施したオンライン説明会の模様を視聴することもできます。

●インボイス制度の問い合わせ先

インボイス制度に関する一般的な質問や相談について、「消費税軽減税率・インボイス制度電話相談センター」で受け付けています。

【フリーダイヤル】0120-205-553（無料）
【受付時間】9:00 ～ 17:00（土日祝を除く）

電話などでの回答が難しい個別相談は税務署において受け付けている。

インボイス制度が新規開業時から適用されるケース

　今後、新規で開業する人は、開業当初から課税事業者になるか免税事業者になるかを検討しなければなりません。課税事業者を選べば初年度から消費税の申告と納付が必要になります。

　本来免税事業者であっても、インボイス制度を利用するために初年度から課税事業者を選ぶ場合があります。どちらも開業後、適格請求書を発行するためには「課税事業者選択届出書」（53ページ）と**「適格請求書発行事業者の登録申請書」**（68ページ。以下、「登録申請書」）を提出します。（本来免税事業者が登録する場合は、2029年9月30日までは登録申請書1枚の提出でよい。詳しくは68ページを参照）

　開業後でも、開業初年度の末日までに登録申請すれば、開業日までさかのぼって適格請求書発行事業者だと認めてもらうことができます。開業後に登録されるまでは取引先が仕入税額控除できないのではないかという心配は入りません。開業年度中に申請すれば、取引先が仕入税額控除を利用することができます。

開業後の申請でも開業日までさかのぼって登録されたとみなされる

事業開始（設立）2023〈令和5〉年11月1日

2024〈令和6〉年 会計期間	2025〈令和7〉年 会計期間	2026〈令和8〉年 会計期間
適格請求書発行事業者 （課税事業者）	適格請求書発行事業者 （課税事業者）	適格請求書発行事業者 （課税事業者）

登録申請書提出（2024〈令和6〉年2月1日）

課税選択 届出書	登録 申請書

●事業開始（設立）した課税期間の初日に遡って登録を受けたものとみなされる。
●「課税期間の初日から登録を受けようとする旨」を記載する。

本来は免税事業者のためのインボイス制度の特例措置

　インボイス制度のために、本来の免税事業者から課税事業者に移行する人のために、期間付きで特例措置が設けられています。

特例1 **カンタン登録：申請書類は登録申請書1枚**

　2029年9月30日までの日の属する課税期間中であれば、免税事業者がインボイス発行事業者になるために課税事業者となる場合、「登録申請書」を提出すればよいことになっています。課税選択届出書を提出する必要はありません。

　課税期間の途中で登録申請をしても、登録申請書に「課税期間の初日から登録を受けようとする旨」を記載することで、課税期間の初日から課税事業者となったとみなされます。

特例2 **納付税額の大幅な軽減：消費税を2割だけ納付すればよい**

　対象となる人には、預かった消費税額の2割を納めればよいという特例があります（**2割特例**）。一般課税や簡易課税で税額を計算する必要はありません。

2割特例の対象者と適用期間

2割特例は2026〈令和8〉年9月30日まで適用される予定です

2割特例の 対象となる人	インボイス制度を機に、免税事業者からインボイス発行事業者として課税事業者になった人。
2割特例を 適用できる期間	2023年10月1日から2026年9月30日までの日の属する各課税期間。ただし、基準期間の課税売上高が1,000万円を超える課税期間などは除く。
特例の内容	・納付する消費税額は、売上の消費税額の一律2割 ・全業種共通・事前の届出は不要。

インボイス（適格請求書）発行事業者の登録申請書

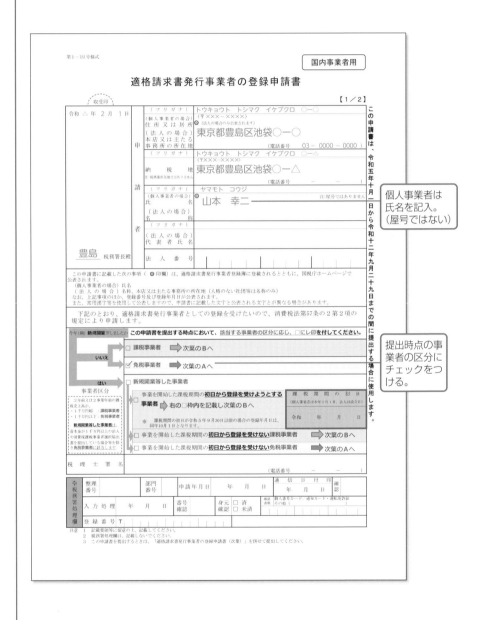

第1-(3)号様式

国内事業者用

適格請求書発行事業者の登録申請書

【1／2】

収受印

令和 △ 年 2 月 1 日

申請者	（フリガナ）	トウキョウト トシマク イケブクロ ○ー○
	住所又は居所 （個人事業者の場合） （法人の場合） 本店又は主たる 事務所の所在地	（〒×××－××××） ※（法人の場合のみ公表されます） 東京都豊島区池袋○ー○ （電話番号 03－0000－0000）
	（フリガナ）	トウキョウト トシマク イケブクロ ○ー△
	納 税 地 注 : 税務署所在地ではありません	（〒×××－××××） 東京都豊島区池袋○ー△ （電話番号 － － ）
	（フリガナ）	ヤマモト コウジ
	（個人事業者の場合） 氏 名 （法人の場合） 名 称	山本 幸二 注 : 屋号ではありません
	（フリガナ）	
	（法人の場合） 代 表 者 氏 名	
	法 人 番 号	

豊島 税務署長殿

> 個人事業者は氏名を記入。
> （屋号ではない）

この申請書に記載した次の事項（○印欄）は、適格請求書発行事業者登録簿に登載されるとともに、国税庁ホームページで公表されます。
（個人事業者の場合）氏名
（法人の場合）名称、本店又は主たる事務所の所在地（人格のない社団等は名称のみ）
なお、上記事項のほか、登録番号及び登録年月日が公表されます。
また、常用漢字等を使用して公表しますので、申請書に記載した文字と公表される文字とが異なる場合があります。

下記のとおり、適格請求書発行事業者としての登録を受けたいので、消費税法第57条の２第２項の規定により申請します。

令和 年（以降） 新規開業等しましたか

この申請書を提出する時点において、該当する事業者の区分に応じ、□にレ印を付してください。

いいえ

□ 課税事業者 ➡ 次葉のBへ

☑ 免税事業者 ➡ 次葉のAへ

□ 新規開業等した事業者

はい

事業者区分
2年前又は2年事業年前の課税売上高が
・1千万円超 → 課税事業者
・1千万円以下 → 免税事業者
新規開業等した事業者
資本金が1千万円以上の法人、
「消費税課税事業者選択届出」
書を提出している場合等を除き
・免税事業者に該当します

事業を開始した課税期間の**初日から登録を受けようとする**事業者 ➡ 右の□枠内を記載し次葉のBへ
※ 課税期間の初日が令和5年9月30日以前の場合の登録年月日は、同年10月1日となります。

課 税 期 間 の 初 日 （個人事業者は本年1月1日、法人は設立日）
令和 年 月 日

事業を開始した課税期間の**初日から登録を受ける**課税事業者 ➡ 次葉のBへ

事業を開始した課税期間の**初日から登録を受けない**免税事業者 ➡ 次葉のAへ

税 理 士 署 名 （電話番号 － － ）

> 提出時点の事業者の区分にチェックをつける。

※税務署処理欄	整理番号		部門番号		申請年月日	年 月 日	通信 日付 印 確認	年 月 日	
	入力処理	年 月 日	番号確認		身元確認	□ 済 □ 未済	確認書類	個人番号カード・通知カード・運転免許証 その他（ ）	
	登録番号 T								

注意 1 記載要領等に留意の上、記載してください。
　　 2 税務署処理欄は、記載しないでください。
　　 3 この申請書を提出するときは、「適格請求書発行事業者の登録申請書（次葉）」を併せて提出してください。

> この申請書は、令和五年十月一日から令和十二年九月二十九日までの間に提出する場合に使用します。

1枚目の「事業者区分」欄で「免税事業者」にチェックをしていて、下の「課税期間の初日から登録を受けようとする旨」にチェックをした場合は、ここにチェックを入れる。

適格請求書発行事業者の登録を受ける場合は、「はい」にチェックする。

第1-(3)号様式次葉

国内事業者用

適格請求書発行事業者の登録申請書（次葉）

【2／2】

| 記載の順序 | ○免税事業者：A欄→B欄→C欄の順に記載
○課税事業者：B欄・C欄のみ記載（A欄は記載不要） | 氏名又は名称 | 山本幸二 |

A　該当する事業者の区分に応じ、□にレ印を付し記載してください。

免税事業者の確認

☑ **a** 次の**b・c以外**で例えば免税事業者である課税期間中の最短日での登録を希望するなど**免税事業者である課税期間中に登録**を受けようとする事業者（登録開始日から納税義務の免除の規定の適用を受けないことになります。）
※ 以下の□枠内を記載し（登録希望日欄の記載をお忘れなく）、次はB欄①の質問へ

事業内容等	個人番号	×××,×××,×××,×××			法人のみ記載	事業年度	自 △△月 △△月 至 ○○月 △△月
	（個人事業者の場合）生年月日	1明治・2大正・3昭和・④平成・5令和					
	（法人の場合）設立年月日	△△年 △△月 △△日				資本金	5,000,000円
	事業内容	衣料品卸し				登録希望日	令和 ×年 ×月 ×日

□ **b** 翌課税期間が課税事業者で、その翌課税期間の初日から登録を受けようとする事業者（**申請日**が翌課税期間の初日から起算して**15日前の日まで**の場合）
※ 次はB欄①の質問へ

| 翌課税期間の初日 | 令和　　年　　月　　日 |

□ **c** 翌課税期間が課税事業者で、**申請日**が翌課税期間の初日から起算して**15日前の日を過ぎている**事業者
（この場合、**翌課税期間の途中から登録**を受けることになります。）　※ 次はB欄①の質問へ

B 登録要件の確認

① 課税事業者です（登録を受けると、消費税の申告が必要になります）。
※ この申請書を提出する時点において、免税事業者であっても、登録を受けると課税事業者となるため、「はい」を選択してください。
☑ はい　□ いいえ　└②の質問へ

② 納税管理人を定める必要のない事業者です。
（国内に住所や本店等を有し、かつ、今後も有する事業者は「はい」にレ印を付して、次の質問③へ。
「いいえ」の場合は、次の質問②′にも答えてください。）
☑ はい　□ いいえ　└③の質問へ

【納税管理人を定めなければならない場合（国税通則法第117条第1項）】
【個人事業者】　国内に住所及び居所（事務所及び事業所を除く。）を有せず、又は有しないこととなる場合
【法人】　国内に本店又は主たる事務所を有しない法人で、国内にその事務所及び事業所を有せず、又は有しないこととなる場合

②′ 納税管理人の届出をしています。
□ はい　□ いいえ

③ 消費税法に違反して罰金以上の刑に処せられたことはありません。
（「加算税や延滞税は「罰金」ではありません。「いいえ」の場合は、次の質問にも答えてください。）
☑ はい　□ いいえ　└C欄の質問へ

③′ その執行を終わり、又は執行を受けることがなくなった日から2年を経過しています。
□ はい　□ いいえ

C 相続による事業承継の確認

相続により適格請求書発行事業者の事業を承継しました。
（「はい」の場合は、以下の事項を記載してください。）
□ はい　□ いいえ　質問はこれで終わり←┘

適格請求書発行事業者の死亡届出者の提出先税務署		税務署
被相続人	死亡年月日	令和　　年　　月　　日
	（フリガナ）納税地	（〒　　　-　　　）
	（フリガナ）氏名	
	登録番号	T

参考事項

この申請書は、令和五年十月一日から令和十二年九月二十九日までの間に提出する場合に使用します。

○免税事業者の方が課税事業者で登録を受けようとする場合、登録希望日（申請日から15日以降の日の記載をお忘れなく

最短日申請書の提出日から15日後までの登録を希望する場合は以下欄に□を付します。

○最短日申請書の提出日から15日後までの登録を希望する場合、この場合、登録希望日欄への改めての記載は不要です。

最短日での登録を希望

罰金以上の刑に処せられたことがない場合は「はい」にチェックする。加算税や延滞税は罰金ではない。

国内の法人は納税管理人を定める必要がないので「はい」にチェックする。

最短で登録を希望する場合はここにチェックを入れる（登録希望日の記載は不要）

経費に計上するまでの領収証の管理

　たまりにたまった領収証の山。見るだけでうんざりしますよね。ああ、まめに処理しておけばよかった、と思っても後の祭り。かすかな記憶を頼りに帳簿作成をしなくてはなりません。思い出しながらの作業は、効率が悪く無駄な時間を費やすことになります。解決策は一つしかありません。**ためない工夫をすることです。**毎日は無理としても、最低でも週に1回は、仕事の進捗状況のメンテナンスなども兼ねて、帳簿作成の時間を作ることです。特に接待での飲食代などは、**記憶が明確なうちに、領収証に誰とどのような目的で使ったのかをメモ書きをしておく習慣をつけてください。**日付、支払先、金額、取引の内容、誰とどんな目的でといったことが特定できれば、後は日付順に帳簿記入していくだけです。

　正確に経費計上するためには、領収証をきちんと管理しなくてはなりません。財布の中が領収証で一杯になっている方をときどき見かけますが、こまめに整理してあげないと紙幣の入るスペースを奪われてしまいます。ビジネスはお金の管理が重要ですが、お金の代わりに受け取る領収証もお金と同じように大切なものなのです。紙幣の入る場所を空けてあげることが領収証整理の第一歩です。解決策として、**経費用の財布を別に持つことをお勧めします。**

　最近は感熱紙を使用した領収証も多いので、保管にも気をつけないといけません。時間が経ったらかすれて見えなくなってしまうこともあります。**感熱紙の領収証は印字面を内側にして折り曲げて保管するなどの工夫が必要です。**

2 章

簿記の基本を覚えよう

① 簿記の目的は「利益」の正確な計算

独立開業したばかりで、簿記はちんぷんかんぷんです。そんなわたしでも青色申告できますか？

雑貨店経営
Eさん

ええ、大丈夫です！基本的な簿記の用語と作業の流れさえ覚えれば、何とかなりますよ！

まず帳簿記入目的を知っておこう！

◎**売上金額**から**仕入金額**と**経費**を差し引くと**利益**が計算できます。

◎毎日帳簿に記入して、売上と仕入と経費を一定期間集計することで正確な利益計算ができます。それが簿記の目的です。

個人事業者に必要な簿記の知識は？

青色申告には帳簿記入が必要ですが、「帳簿なんて見たこともないし…。わたしにもできるかしら…」と不安になっている方がいらっしゃるでしょう。

個人事業者でも基本的な簿記の用語、それぞれの帳簿記入の意味を知っておくべきです。しかし、一般企業の経理担当者が備えているような専門知識は必要ありません。この章で解説する最低限の知識を身につけておくだけで十分です。なぜなら、**会計ソフト**を利用することで、**55万円控除の青色申告に必要な帳簿や決算書を簡単に作ることができる**からです。また、65万円控除に必要なe-Taxによる申告（電子申告）や電子帳簿の保存に対応しているものもあります。

そもそも「利益」ってなに？

まず最初に、簿記の目的を説明しましょう。

営業活動によってどのくらい利益があったのか、もしくはどのくらい赤字になったのかを知るために、簿記が必要になります。では、「利益」とはいったい何でしょうか？

例えば、商品を仕入れて店舗で販売する事業を考えてみます。顧客が商品を買ってくれたら、その商品の販売代金を受け取ります。このように**商品などを売って得た収益のこと**を売上金額といいます。また、その商品を店舗に置いて販売するには、**工場や問屋などからその商品を購入しますが、その購入した金額のこと**を仕入金額といいます。

この**売上金額から仕入金額を差し引いた金額**も広い意味での利益です。これを粗利といいます。**この粗利からその商品を売るためにかかった商品の運搬料**や店舗の家賃、電気代、電話代、広告費など、さまざまな経費を差し引いたものを簿記の用語で利益といいます。

これらの一連の取引の結果となる利益を正確に計算するために、毎日帳簿に記入して、一定の期間で集計することが必要なのです。

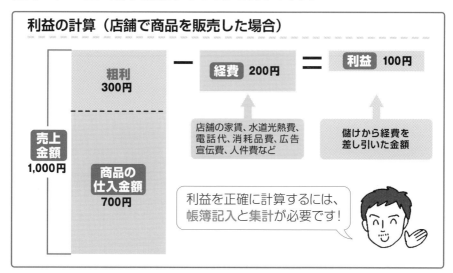

利益の計算（店舗で商品を販売した場合）

粗利 300円 ー 経費 200円 ＝ 利益 100円

売上金額 1,000円

商品の仕入金額 700円

店舗の家賃、水道光熱費、電話代、消耗品費、広告宣伝費、人件費など

儲けから経費を差し引いた金額

利益を正確に計算するには、帳簿記入と集計が必要です！

簿記での利益計算を覚えよう！
売上金額 － （仕入金額＋経費） ＝ 利益

② 単式簿記と複式簿記

青色申告にチャレンジしようと思っているのですが、10万円控除か55万円控除か悩んでいます。

アートディレクター
Fさん

10万円控除を受けるには簡易簿記、55万円控除を受けるには複式簿記による帳簿が必要です。まずこれらの意味を覚えましょう。

簡易簿記（単式簿記）
と複式簿記の特徴は？

◎**単式簿記**のしくみはお小遣い帳と同じです。
◎**複式簿記**は、1つの取引を複数の帳簿に記入します。
◎会計ソフトを使うことにより、複式簿記による帳簿が簡単に作成できます。

「単式簿記」とは？

　簿記には、**単式簿記**と**複式簿記**があります。身近な例を挙げれば、家計簿や小遣い帳も簿記の一種です。記帳の原則は、家計簿や小遣い帳で知ることができます。これらは**単純にお金の出入りと残高を記入するもの**で、**単式簿記**といいます。

小遣い帳も単式簿記の一つ

簡易簿記ならすぐ覚えられそうですね

月	日	摘　要	収入	支出	残高
4	1	前月の繰り越し	2,500		2,500
	〃	4月分の小遣い	10,000		12,500
	2	カラオケ		1,600	10,900
	3	外食		800	10,100
	4	洋服		3,500	6,600

収入は左側に記入。　　支出は右側に記入。　　取引後の残高を記入。

「複式簿記」とは？

　複式簿記は、お金の出入りや残高を記入するだけではなく、例えば、売上金額をすぐに現金で受け取ったのか、後日受け取ることにしたのかなども記録します。さらに、売上金額を記録する帳簿のほかに、代金を現金で受け取ったら**現金出納帳**、商品の代金を後日受け取ることにした場合は**売掛帳**、といった具合に**1つの取引を複数の帳簿に記録するのが複式簿記の特徴**です。55万円（65万円）控除のための帳簿は複式簿記によって作成する必要があります。**会計ソフトなら取引を一度記入すれば複数の帳簿に自動的に振り分けてくれます。**

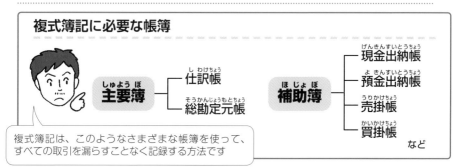

複式簿記に必要な帳簿

複式簿記は、このようなさまざまな帳簿を使って、すべての取引を漏らすことなく記録する方法です

主要簿 ─ 仕訳帳
　　　　└ 総勘定元帳

補助簿 ─ 現金出納帳
　　　　├ 預金出納帳
　　　　├ 売掛帳
　　　　└ 買掛帳　など

会計ソフトなら1回の入力で複数の帳簿に記入できる

A社より会社の預金口座に売上代金5万円の振込あり

入力 → 預金出納帳

会計ソフトで自動作成

仕訳帳 → 総勘定元帳

会計ソフトなら1回入力するだけで複数の帳簿に自動的に振り分けてくれます！

 簡単経理のツボ！ 2-02

55万円（65万円）控除を目指すなら会計ソフト！
初めて帳簿づけする人でもラクに複式簿記の形式で記帳できる。

＊55万円控除、65万円控除の詳細は38・41・211・212ページを参照のこと。

カメラマン
Jさん

毎日帳簿づけをやることはわかりましたが、利益の計算はいつ行えばいいのですか？

個人事業の場合は、1月1日〜12月31日の期間に区切って利益の計算を行います。

会計期間と決算の意味を覚えよう

◎個人事業者の場合は、1月1日から12月31日が1つの区切り（**会計期間**）になります。
◎1年間のまとめとして**決算書**を作成します。

1月1日〜 12月31日で1つの区切り

「簿記の目的は利益を正確に計算すること」と述べましたが、いつからいつまでの利益を計算すればいいのか、ということについて説明しましょう。

ビジネスは何年にもわたって継続していくものです。ある一定期間を区切って「この期間は利益が多かったな」「前回の期間に比べると経費が多くかかった

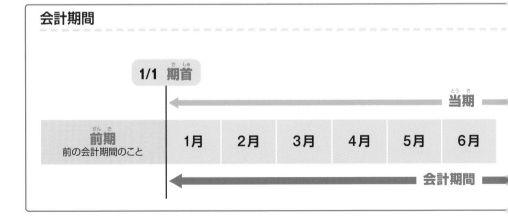

会計期間

1/1 期首

当期

前期
前の会計期間のこと

| 1月 | 2月 | 3月 | 4月 | 5月 | 6月 |

会計期間

な」といった分析をすることで、事業計画を立てることができます。**個人事業者の場合は、1月1日から12月31日の間の利益を計算して確定申告する**ことになっています。この期間のことを**会計期間**といいます。

実務では、通常1か月を単位として集計（**月次決算**）し、さらにこれを1年間集計することで一会計期間の利益を計算します。

 ## 決算とは？

1月1日〜12月31日までの間にいくら利益があがったか、また12月31日の時点に会社にどのくらいの財産（例えば、事業に使うパソコンなど器具備品など）があるかなどを計算する作業のことを**決算**といいます。この決算によってまとめられた計算書類が**決算書**です。決算書には**損益計算書**と**貸借対照表**がありますが、それは次節で詳しく解説しましょう。

 簡単経理のツボ！ 2-03　会計期間、当期、前期、次期（翌期）、月次決算の意味をしっかり覚えよう！

個人事業の場合は 1/1 〜 12/31 の期間で利益の計算をします

12/31 期末

| 7月 | 8月 | 9月 | 10月 | 11月 | 12月 | **次期（翌期）** 次の会計期間のこと |

④ 損益計算書は事業の通信簿

決算書のうち、損益計算書とはどんなものですか？

1年間の利益がいくらになったかがひと目でわかる一覧表です。

衣料品店経営
Gさん

損益計算書は1年間の利益報告書です

◎**損益計算書**は、**収益**と**費用**を一覧表にまとめたものです。
◎青色申告特別控除の適用を受けるには（55万円控除でも10万円控除でも）、損益計算書の提出が必要です。

一会計期間の利益がいくらかを知る

73ページで利益の計算式を説明しましたが、簿記では、**売上などの収入のことを収益**、仕入や経費といった支出のことを**費用**といいます。そして収益と費用、利益は「**収益－費用＝利益**」の関係にあります。

この利益の計算をするために、**収益と費用を一覧表にまとめたものを損益計算書**といいます。損益計算書は事業の経営成績を表す、いわば1年間の通信簿のようなものです。

青色申告では、**所得税青色申告決算書**という書類を提出しなければなりませんが、その1枚目にあるのが損益計算書です（次ページ参照）。**10万円控除でも55万円控除（65万円控除）でも損益計算書を提出しなければなりません。**

勘定科目とは？

次ページにあるのは、所得税青色申告決算書の損益計算書です。経費の欄に

「租税公課」「荷造運賃」……などさまざまな項目が並んでいるのがわかります。電話代や書類を送った切手代を「通信費」、電気代や水道代を「水道光熱費」というように、それぞれあてはまる整理項目に分類して表示します。そしてその整理項目ごとに記録・集計し、利益を計算するのです。**この通信費、水道光熱費といった整理項目のことを勘定科目**といいます。

　勘定科目の詳細については3章で詳しく解説します。

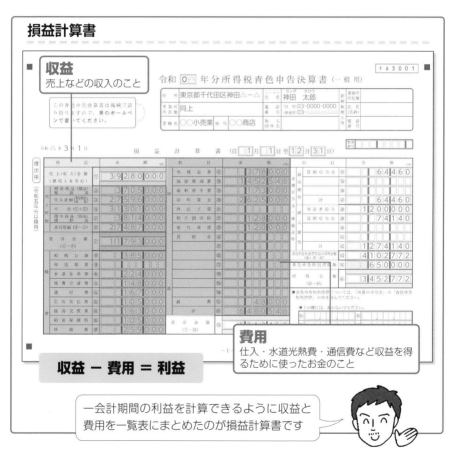

収益 − 費用 ＝ 利益

一会計期間の利益を計算できるように収益と費用を一覧表にまとめたのが損益計算書です

簡単経理のツボ！ 2-04

収益と費用が一覧表になった損益計算書は事業の経営成績を表すもの。

決算書のうち、貸借対照表とはどんなものですか？

12月31日の時点で資産や負債がどのくらいあるかを表した一覧表です。

フリーライター
Dさん

貸借対照表は期末の財政状態がわかる表です

◎**貸借対照表**は、**資産**と**負債**と**資本**を一覧表にまとめたものです。
◎10万円控除の場合は、貸借対照表は提出しなくてもよいことになっています。

📝 12月31日の時点で財産がいくらあるのかがわかる

　決算書には、損益計算書のほかに、**貸借対照表**というものがあります。これは個人事業者の**財政状態**を表すものです。**財政状態とは、事業にかけられた資金がどこからどのように受け入れたものかと、その調達した資金をどのように使ったか**をいいます。具体的には、12月31日、つまり期末の時点で、**現金や預金などの資産**、銀行からの**借入金**などの**負債**、資産から負債を差し引いた正味の財産である**資本**の状態のことです。**この資産、負債、資本を明らかにするのが貸借対照表**で、所得税青色申告決算書の4枚目にあります。

　ただし、期末時点の資産や負債の金額（残高）だけがわかればよいというものではなく、**個々の取引の記録に基づいて勘定科目ごとの残高を把握する必要があります**。所得税青色申告決算書の貸借対照表にも現金、定期預金などさまざまな項目が並んでいますが、これらも勘定科目です。

　なお、**青色申告特別控除額が10万円控除の場合、貸借対照表は提出しなくてもよい**ことになっています。

資産と負債と資本の関係

　下図は青色申告決算書の4枚目にある貸借対照表です。貸借対照表を構成する資産、負債、資本には、「資産－負債＝資本」という関係があります。

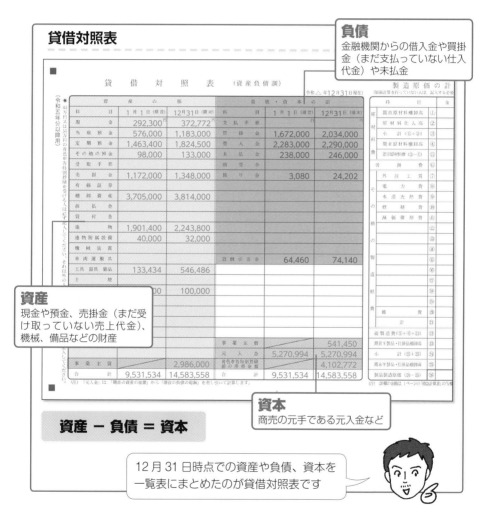

負債
金融機関からの借入金や買掛金（まだ支払っていない仕入代金）や未払金

資産
現金や預金、売掛金（まだ受け取っていない売上代金）、機械、備品などの財産

資本
商売の元手である元入金など

資産 － 負債 ＝ 資本

12月31日時点での資産や負債、資本を
一覧表にまとめたのが貸借対照表です

資産と負債と資本が一覧表になった貸借対照表は
事業の財政状態を表すもの。

⑥ 簿記実務の大きな流れをつかもう

フリープログラマー
Hさん

帳簿記入のやり方を
覚えたいのですが、
まず何から始めたら
いいですか？

まずは簿記の大ま
かな流れを覚えて
ください。

**まずは簿記の
流れを知ろう！**

◎簿記の大まかな知識だけでも身につけましょう。税理
士など専門家のアドバイスを正確に理解できるように
なりますよ。

簿記実務の大まかな流れ①

① 取引が発生する
→ 86ページ

家賃を
支払う

←  →

商品を
売る

モノやお金が動く

② 取引を仕訳する
→ 88ページ
発生した取引の勘定科目と金額を帳
簿に記載する。これを仕訳という。
このとき使用される帳簿は仕訳帳
で、この記録は基本的に毎日行う。

よいしょ！

簿記の知識を身につければ効率よい経営が可能に

　ここからは複式簿記の流れを説明していきます。それぞれの帳簿の意味、言葉の意味を知りたくなったときに、ここに戻ってきてください。そのうちに簿記の知識が身についていくはずです。

　事業の規模が大きくなってくると、税理士や金融機関に相談する機会が増えるはずです。そういったときに簿記の知識を身につけていると、税理士などのアドバイスを正確に理解できるようになります。また、「経営状態をしっかり把握したい」「経理業務を効率化したい」といった際に強力な武器になります。**わたしが顧問をしている個人事業者の方にも、最低限の簿記の知識を身につけるようにアドバイスしています。**

❸ 仕訳された取引を総勘定元帳に転記する
➡ 92ページ

次ページへ

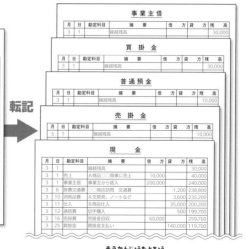

仕訳帳

総勘定元帳

仕訳によって記録した取引を総勘定元帳に転記する。

毎日記録するのが簿記の基本

　単式簿記で出てきた小遣い帳では、1つのノートに1度記入したら週末や月末に集計して終わりですが、複式簿記の場合は、下図を見ればわかるように、1つの取引をいくつもの帳簿に分けて記入しなければなりません。なぜこんなにいろんな帳簿を使うのでしょうか？　それは前述した、**経営成績を明らかにするための**損益計算書と、**財政状態を知るための**貸借対照表を作成するためなのです。

　取引は発生の都度、正確に記録しなければなりません。取引が少ない場合は、1週間に1度、ひと月に1度といった処理でも記録はできるかもしれません。しかし、人間の記憶は時間とともに失われていくものですから、記憶をたどりながら作成した帳簿ではとても正確な記録とはいえません。そのため、できる

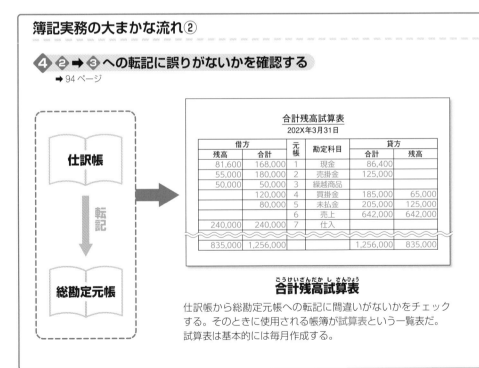

簿記実務の大まかな流れ②

❹ ❷ ➡ ❸ への転記に誤りがないかを確認する
➡ 94 ページ

仕訳帳

転記

総勘定元帳

合計残高試算表
202X年3月31日

借方		元帳	勘定科目	貸方	
残高	合計			合計	残高
81,600	168,000	1	現金	86,400	
55,000	180,000	2	売掛金	125,000	
50,000	50,000	3	繰越商品		
	120,000	4	買掛金	185,000	65,000
	80,000	5	未払金	205,000	125,000
		6	売上	642,000	642,000
240,000	240,000	7	仕入		
835,000	1,256,000			1,256,000	835,000

合計残高試算表

仕訳帳から総勘定元帳への転記に間違いがないかをチェックする。そのときに使用される帳簿が試算表という一覧表だ。試算表は基本的には毎月作成する。

限り**毎日、取引のあった時点で記録する**、これが基本であり、大切なことです。

　例えば、飲食店や店舗で商品を販売している場合は、お店を閉めた後でその日1日の売上金額を集計し、金庫やレジスターの現金を数え、経費の支払いといったその日に発生したすべての取引を**仕訳**（しわけ）という方法で記録します。そして仕訳によって記録した取引をさらに**総勘定元帳**（そうかんじょうもとちょう）という帳簿に転記する作業が行われます。この転記作業も基本的には毎日行われます。このように**1つの取引**を「**複数の帳簿に**」「**毎日記録していく**」、これが簿記実務の基本なのです。

簡単経理のツボ！ 2-06

取引発生から決算まで大まかな流れをしっかり覚えておこう。

5 決算 - 1年間の帳簿記録を整理して決算書を作成

➡ 96 ページ

決算とは、会計期間の最後にこれまで行ってきた帳簿記録を整理・集計して決算書を作成すること。

損益計算書と貸借対照表の2つを作成して完了！

⑦ 簿記でいう「取引」の意味

衣料品店経営
Gさん

そもそも「取引」って
どんな意味ですか？

モノやお金が動い
たときに初めて
「取引が発生した」
といいます。
ふだん使っている
意味とは少し違う
んですよ。

簿記でいう「取引」
の意味を理解しよう！

◎モノやお金が動いたとき、そのときに初めて**「取引の発生」**といいます。
◎モノやお金の動かない契約の成立などは取引とはいいません。

📖 モノやお金が動いたときに取引が発生する

　では、82〜85ページで解説した簿記の流れを詳しく解説していきます。まずは帳簿記入のスタートとなる「取引」です。

　一般に、商品を販売する契約を結んだ場合、「取引が成立した」などといいますね。例えば、あなたがある事務機販売店の従業員で、近所の○○商事から「□□というパソコンを5台購入したい」と電話があり、それを了解したとしましょう。一般的にはこれで「取引が成立した」といいます。ところが簿記ではこれを取引とはいいません。このときに「○○商事から前受金としていくらかもらった」とか「□□というパソコンを○○商事に納品した」ということであれば取引の発生となります。要するに"お金"や"モノ"が動いたときに取引が発生する、と覚えてください。したがって、通常では取引とはいわない「現金が盗難にあった」場合や、「建物や商品が火災などによって焼失した」場合も、簿記では「取引」といいます。

簿記上の取引は金額で表示できなければならない

簿記では取引を帳簿に記入していきますが、この記入のときに使われるのが勘定科目と金額です。「□□というパソコンを5台購入したい」という先ほどの注文の例では、注文を受けた時点では売上金額は正確にはわかりませんから、この時点では正確に記録することはできません。簿記での取引になるためには金額で表示できることも必要なのです。つまり、**①お金やモノが動く、②金額で表示できる、という2つの条件を満たすものが簿記での「取引」になるのです。**

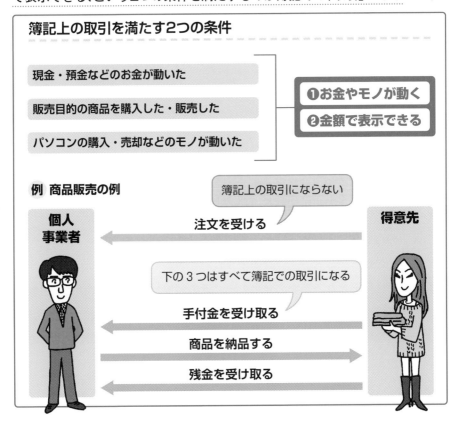

簿記上の取引を満たす2つの条件

現金・預金などのお金が動いた

販売目的の商品を購入した・販売した

パソコンの購入・売却などのモノが動いた

❶お金やモノが動く

❷金額で表示できる

例 商品販売の例

簿記上の取引にならない

個人事業者 ← 注文を受ける ← 得意先

下の3つはすべて簿記での取引になる

← 手付金を受け取る

→ 商品を納品する

← 残金を受け取る

簡単経理のツボ！
2-07

「お金やモノが動く」「金額で表示できる」のが簿記上の取引。

⑧ 仕訳とは取引を分解すること

「仕訳する」って
よく聞きますが、
どんな意味なんで
すか？

雑貨店経営
Eさん

取引を原因と結果
に分解し、それぞ
れの勘定科目と金
額を仕訳帳に書く
作業のことです。

「仕訳」は簿記で最も
大切な作業の1つ

◎取引を原因と結果に分解して、左側（借方）と右側（貸
方）に分けるのが**仕訳**です。
◎仕訳に使われる帳簿が主要簿の1つ、**仕訳帳**です。

仕訳の手順①　取引を原因と結果に分解

　取引が発生したら、次に**どんな取引なのかを分類し、同じ取引もしくは類似
する取引ごとに帳簿に記録して集計します**。この作業のことを仕訳といいます。
この仕訳の作業で使われる帳簿が仕訳帳です。

　では、その仕訳にはどのような決まりがあるのかを解説しましょう。

　取引には「**原因となる事実の発生**」と「**その結果**」があります。これを**取引
の二面性**といいます。例えば、売値1万円の商品を販売して代金を現金で受け
取った場合を考えてみましょう。この取引を、原因と結果に分解すると次のよ
うになります。

原因
商品を 販売する

結果
現金で代金を 受け取る

このようにすべての取引は、この「原因」と「結果」に分解することができます。これが仕訳の第一歩です。

　仕訳をするときに「商品の販売」とか「現金で代金を受け取った」と文章で書いていたら、記入に時間がかかるし帳簿が複雑になるばかりです。そこで考え出されたのが、勘定科目と仕訳です。**原因と結果に分解された取引を右側と左側に分けて、それぞれの該当する勘定科目と金額を帳簿に記入**します。

　勘定科目には、電車賃などの旅費交通費、郵送代や電話の通話料といった通信費など、さまざまなものがあります。勘定科目をどのように設定するかについては、青色申告決算書に印字されている科目を参考にするとよいでしょう。

仕訳の手順②　借方と貸方に分けて仕訳帳に記入

　取引が分解できたら、次は借方と貸方に分けて仕訳帳に記入します。先ほどの「商品を販売して代金を現金で受け取った」という取引の例で説明しましょう。

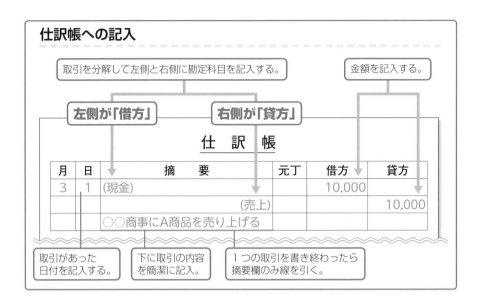

この例の場合、原因である「商品の販売」には**売上**という勘定科目を、結果である「現金で代金を受け取る」には**現金**という勘定科目を使用します。この勘定科目を摘要欄を中央で区切った左側または右側のどちらに記入するかです。**左側の欄のことを借方**、**右側の欄のことを貸方**といいます。

簿記を初めて学ぶ人の中には、取引を分解した後に借方、貸方のどちらに記入するのかを迷う方がたくさんいます。しかし、会計ソフトを使えば、適切に処理してくれますから、このルールを覚える必要はありません。

なお、勘定科目は独自に設定してもかまいません。**特定の勘定科目が高額になる場合には、勘定科目を細分化する**こともできます。例えば、フリーライターの方で執筆にかかる本や雑誌ほか資料代が結構かかるという場合は「図書研究費」といった青色申告決算書に載っていない勘定科目を独自に作ってもかまいません。勘定科目の種類、それぞれの詳細については3章を参照してください。

ちょっと補足
借方と貸方

これはお金を借りたとか貸したとかいう意味ではありません。単に左と右を区別するための記号だと覚えてください。

仕訳はいつ行うのか

　取引は1日のうち決まった時間に発生するわけではありません。例えば、コンビニエンスストアや飲食店では営業時間を通じて取引が発生します。

　販売している商品が土地や建物などの不動産や自動車など高額のものである場合は販売するたびに帳簿に記入することができます。しかし、小額の商品を多種類販売している場合は、そのたびに帳簿に記入することは不可能でしょう。このように取り扱う商品の種類によって帳簿記入する時点が異なります。**通常は販売の記録を別の方法（例えば、売上票やレジスターなど）によって行い、閉店後に1日の合計金額で仕訳をして帳簿に記入**します。

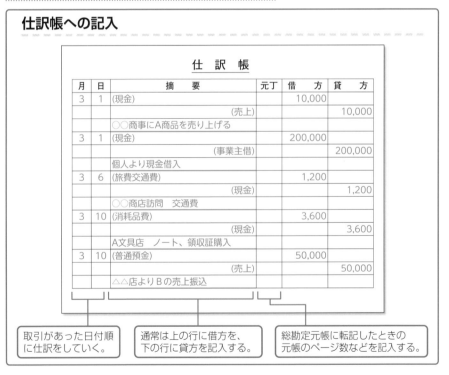

仕訳帳への記入

仕 訳 帳

月	日	摘　　　要	元丁	借　　方	貸　　方
3	1	(現金)		10,000	
		(売上)			10,000
		○○商事にA商品を売り上げる			
3	1	(現金)		200,000	
		(事業主借)			200,000
		個人より現金借入			
3	6	(旅費交通費)		1,200	
		(現金)			1,200
		○○商店訪問　交通費			
3	10	(消耗品費)		3,600	
		(現金)			3,600
		A文具店　ノート、領収証購入			
3	10	(普通預金)		50,000	
		(売上)			50,000
		△△店よりBの売上振込			

取引があった日付順に仕訳をしていく。

通常は上の行に借方を、下の行に貸方を記入する。

総勘定元帳に転記したときの元帳のページ数などを記入する。

 簡単経理のツボ！ 2-08

取引を分解して左側（借方）と右側（貸方）に分けて記入するのが仕訳。仕訳に使われるのが仕訳帳。

⑨ 仕訳を総勘定元帳へ転記

仕訳をした後で総勘定元帳への転記はなぜ行うのですか？

それは、先ほど説明したそれぞれの勘定科目の集計をするためです。

デザイナー
Cさん

「元帳転記」の意味を覚えておこう

◎それぞれの**勘定科目**の借方と貸方を仕訳帳の通りに転記して、その勘定科目の合計額を計算します。
◎転記するときのルールとして、相手の勘定科目、金額、残高を記入します。

 ## 総勘定元帳は仕訳を勘定科目別に分類してまとめた帳簿

仕訳の次に行う作業が仕訳の**総勘定元帳**への転記です。総勘定元帳とは、**仕訳帳に記入された仕訳を勘定科目別に分類して転記し、1冊にまとめた帳簿**です。

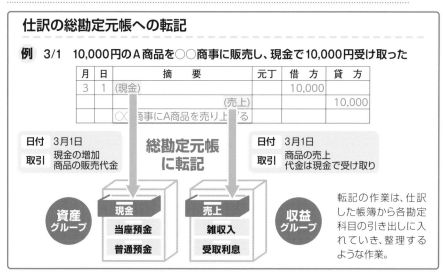

仕訳の総勘定元帳への転記

例 3/1　10,000円のA商品を○○商事に販売し、現金で10,000円受け取った

月	日	摘　　要	元丁	借　方	貸　方
3	1	(現金)		10,000	
		（売上）			10,000
		○○商事にA商品を売り上げる			

日付 3月1日
取引 現金の増加
商品の販売代金

総勘定元帳に転記

日付 3月1日
取引 商品の売上
代金は現金で受け取り

資産グループ 現金／当座預金／普通預金

売上／雑収入／受取利息

収益グループ

転記の作業は、仕訳した帳簿から各勘定科目の引き出しに入れていき、整理するような作業。

元帳転記で各勘定科目の合計金額や残高を計算

　総勘定元帳は、略して元帳といわれ、この転記作業を元帳転記といいます。
元帳転記には次のような目的があります。

①現金や普通預金など、各勘定科目の出入金がどうなっているのか、また残高
　がどれだけ増減しているかといった状況を知るため。

②一定の期間（1か月や1年など）の売上高や経費の総額を知るため。

　つまり、勘定科目は仕訳のための道具ではなく、総勘定元帳という受け皿に
すべての取引を分類し集計するためのものなのです。

　さて、転記とは、仕訳帳に記入された仕訳を勘定科目が表題に書かれた用紙
に書き写すことです。この用紙のことを勘定口座といいます。例えば、現金と
いう勘定科目についてまとめた用紙は「現金の勘定口座」ということになりま
す。さまざまな勘定口座が1冊にまとまったものが総勘定元帳なのです。税務
調査が入った場合、総勘定元帳は非常によくチェックされます。

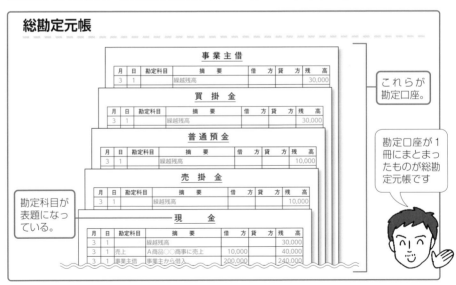

これらが
勘定口座。

勘定口座が1
冊にまとまっ
たものが総勘
定元帳です

元帳転記は、仕訳で取引を記録したものを総勘定元帳に
転記する作業のこと。これで各勘定科目の合計金額や残高がわかる。

⑩ 試算表は月ごとの通信簿

元帳転記の次は試算表の作成ですね。試算表は何のために作るのですか？

勘定科目の残高を集計することによって、転記が正確に行われているかを確認するためです。

試算表で転記の間違えをチェック！

衣料品店経営
Gさん

◎一定期間で総勘定元帳を締め切って、その残高をまとめて転記ミスがないかをチェックします。
◎**試算表**は基本的に毎月末に作成します。

✐ 元帳転記が正確かどうかを試算表で確認

　仕訳帳から総勘定元帳への転記が正確に行われているかを確認するために定期的に作成するのが試算表です。

　試算表は、総勘定元帳に転記された金額を基にして、ある一定期間の借方、貸方の合計や、借方と貸方の差額である残高を算出して一覧表にしたものです。仕訳帳から総勘定元帳への転記が正しく行われていれば、借方と貸方の合計金額と残高は一致します。**会計ソフトでは仕訳帳から総勘定元帳への転記は自動的に行われていますから、残高は必ず一致します。**

　また、他にも大切な目的があります。それは毎月末など一定期間ごとにチェックすることで、その期間の損益、その時点での財政状態をチェックすることができます。つまり、**月ごとの経営状態を把握することができる集計表**なのです。決算書は事業の通信簿のようなものといいましたが、試算表は月ごとの通信簿といっていいでしょう。今月の売上と仕入、経費がいくらかといったことを項目ごとにチェックすることで、経営に役立てることができるのです。

合計残高試算表なら合計金額と残高が一覧できる

　試算表には、いくつかの種類がありますが、よく使われるのが下にある**合計残高試算表**です。

　合計残高試算表は、それぞれの勘定科目の両側に借方・貸方の合計を記入する欄と、借方・貸方の残高を記入する欄があるものです。

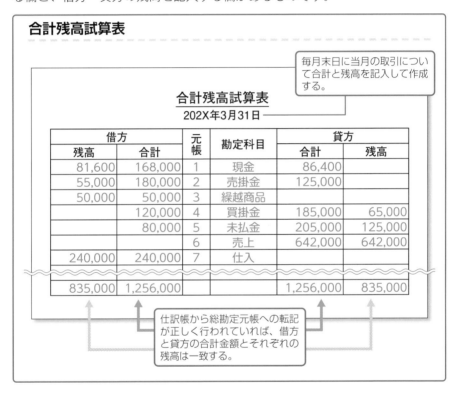

合計残高試算表

毎月末日に当月の取引について合計と残高を記入して作成する。

合計残高試算表
202X年3月31日

| 借方 | | 元帳 | 勘定科目 | 貸方 | |
残高	合計			合計	残高
81,600	168,000	1	現金	86,400	
55,000	180,000	2	売掛金	125,000	
50,000	50,000	3	繰越商品		
	120,000	4	買掛金	185,000	65,000
	80,000	5	未払金	205,000	125,000
		6	売上	642,000	642,000
240,000	240,000	7	仕入		
835,000	1,256,000			1,256,000	835,000

仕訳帳から総勘定元帳への転記が正しく行われていれば、借方と貸方の合計金額とそれぞれの残高は一致する。

　ここでもう一度84～85ページの図をみてください。ここまでで「仕訳帳の作成➡総勘定元帳への転記➡試算表の作成」までを解説しました。これを12か月続けて、会計期間が終わった後に「決算整理➡青色申告決算書の作成」を行います。

簡単経理のツボ！2-10

試算表で月ごとの経営状態を把握できる。
毎月末に作成、チェックする習慣を！

⑪ 決算と確定申告

飲食店経営
Iさん

決算って大変だと
聞くけど、実際ど
うなんですか？

帳簿がきちんとし
ていれば、さほど
大変ではないはず
です。
毎日の積み重ねが
肝心ですね。

決算は1年を締めくくる
大事な作業です！

◎**決算**は**決算書**を作成する手続きです。これによって事
業の経営成績と財政状態がわかります。
◎損益計算書は**所得税の確定申告**の添付書類です。

損益計算書と貸借対照表を完成させて決算は確定する

　決算とは、**1月1日から12月31日までの間にいくら利益があったのか、ま
た12月31日の時点にどのくらいの資産や負債があるのかなどを、集計、計算
し確定させる作業のこと**です。具体的には78～81ページで解説した、**損益計
算書と貸借対照表**を完成させることで決算は確定します。

　日々の取引を帳簿に記入し、毎月試算表を作成しチェックすることを**月次決
算**といいます。**月次決算の目的は、毎月の経営成績を知ること**にあります。そ
の他、事業計画の修正、資金調達の申し込み時に金融機関に提出するなど、作
成するメリットがたくさんあります。

　また、10月頃から**最終損益**（**着地見込**といいます）を予測し、目標達成に
向けた営業・販売計画の追加・修正、節税などを判断する資料としても活用で
きます。申告書作成のための決算は年に1回ですが、経営判断のための試算表
は毎月作成しましょう。

　この月次決算を年末まで継続して行っていれば、12月31日現在の試算表で

月次決算を年末まで継続して行う

| 1月 | 2月 | 3月 | 4月 | 5月 | 6月 | 7月 | 8月 | 9月 | 10月 | 11月 | 12月 |

日々の取引を帳簿に記入し、毎月試算表を作成しチェックすることで、毎月の経営成績を知ることができる。

月次決算を年末まで継続して行っていれば12月31日現在の試算表で決算はおおむね確定します

12月試算表

決算は、おおむね確定したといえます。ただし完成品ではありません。このままの状態で損益計算書や貸借対照表に記載することはできないのです。

決算のときに試算表の修正が必要な項目がある

決算のときに試算表の修正が必要な項目があります。たとえ帳簿上の記録は正しくても、決算手続きのために修正を要する項目が存在するのです。この修正のことを**決算整理**といいます。決算整理には、売上原価の計算など、いくつかの項目があり、この修正を行った後に損益計算書と貸借対照表が完成するのです。詳細は6章を参照してください。

青色申告決算書は確定申告書の添付書類

決算が確定したら、**所得税青色申告決算書（一般用）**を作成します。

手書きや会計ソフトなどで作成した決算書の内容を、青色申告決算書の損益計算書、貸借対照表に転記します。最後に青色申告特別控除額（55万円または10万円が限度）を控除して事業所得の金額を計算します。

収入金額、所得金額などを確定申告書に転記して、**所得税の確定申告書**を作成します。青色申告決算書は申告書に添付して提出します。55万円控除は、期限内申告が要件なので、提出期限（3月15日）までに必ず提出しましょう。

現金売上のある業種－飲食業・小売業・理美容業など

金種表で現金管理をしよう

　売上金額の大半を現金で受け取るような飲食業や小売業などの場合には、現金の管理が重要です。

　レジスター内の現金は、閉店後に金種ごとに数えて枚数を記入する**金種表**を作成しましょう。閉店後の現金の有高から開店時に用意しておいた釣銭の金額を控除した金額が、その日の売上金額と一致することを確認してください。一致しない場合には、原因を究明しましょう。

　現金商売の場合、釣銭のミスは避けて通れないのですが、1万円や5千円札を受け取った時の釣銭の数え方などを工夫することで未然に防ぐことが可能です。

金　種　表

202X 年 9 月 10 日

作成者	確認者

札・硬貨の種類	数量	金額
10000 円	8	80,000
5000 円	12	60,000
2000 円	0	0
1000 円	18	18,000
500 円	8	4,000
100 円	18	1,800
50 円	16	800
10 円	22	220
5 円	12	60
1 円	15	15
合　　　計		164,895
釣 銭 準 備 金		30,000
売 上 金 額		134,895

レジ内の現金残高と一致することを確認する。

現金出納帳に「本日分現金売上」として記入する。

青色申告決算書にある
勘定科目

●3章は業態によって読むべき項目、読み飛ばし可能な項目があります。
　次の表を参考にしてください。

○：読むべき項目　　╳：読み飛ばし可能な項目

業態			フリーランス		飲食店	商品販売	サロン
業務			●デザイナー ●フリーライター ●フリープログラマー ●カメラマン など		●レストラン ●居酒屋 ●バー　など	●雑貨店 ●衣料品店 などの小売店	●理容室 ●美容室 ●ネイル 　サロン など
店舗・事務所			自宅兼 事務所	自宅以外 の事務所	店舗	店舗	店舗
❶ 現金出納帳	現金出納帳	P.100-101	╳	╳	○	○	○
	小口現金出納帳	P.102	○	○	○	○	○
❷	預金出納帳	P.103-105	○	○	○	○	○
❸	商品売買の帳簿記入	P.106-107	╳	╳	○	○	○
❹	収益と費用の計上時期	P.108-112	○	○	○	○	○
❺ 売上と売掛金	売上の計上時期	P.113	○	○	○	○	○
	現金売上	P.114	╳	╳	○（注1）	○（注1）	○（注1）
	掛売上	P.115-116	○	○	╳（注2）	╳（注2）	╳（注2）
	売掛帳の書き方	P.117-118	○	○	╳	╳	╳
❻ 仕入と買掛金	仕入の計上時期	P.119	○	○	○	○	○
	現金仕入	P.120	╳	╳	○	○	○
	掛仕入	P.121	╳	╳	○	○	○
	買掛帳の書き方	P.121-123	╳	╳	○	○	○
❼	事業主借・事業主貸・元入金	P.124-126	○（注3）	○	○	○	○
❽	損益計算書　経費の勘定科目	P.127-136	○	○	○	○	○
❾	自宅家賃、水道光熱費の按分	P.137-140	○（注3）	╳	╳	╳	╳

（注1）98ページの「金種表」による現金管理の方法も必読です。
（注2）店舗でクレジットカードの売上がある場合は「請求書売上」の内容を確認してください。
（注3）事務所の家賃の按分に関して「事業主貸」は必読です。

① 「現金」は現金出納帳で管理する

現金のやりとりが多いのですが、どのように管理したらいいですか？

飲食店経営 Iさん

現金は現金出納帳で管理するのが基本。レジの現金と金庫の現金、それぞれ帳簿を分けて管理しましょう。

現金管理のポイントはここ！

◎金庫で管理する**小口現金**はできるだけ少なく。事業所にお金をおいておくのは盗難のリスクがあります。
◎**現金出納帳**への記入は間違いが起こりがち。原則的に毎日記録し、残高が合わなかったら原因を究明します。

帳簿記入のスタートは現金出納帳と預金出納帳

　この章では基本的な帳簿の記入方法を具体的に解説していきます。基本的な帳簿とは、現金出納帳と預金出納帳です。この2つの帳簿から会計ソフトに入力することで、総勘定元帳への転記だけでなく、試算表や決算書の作成もおおむね完了します（追加修正が必要な部分もあります）。

　では、最初に現金出納帳から説明していくことにしましょう。

現金　現金を出し入れしたとき

　事業用の現金を出し入れしたときに使うのが現金という勘定科目です。**毎日の入出金を発生順に記録し、手持ちの現金残高と照合するための帳簿が現金出納帳**です。現金出納帳は、市販のノート形式のものでもルーズリーフ形式のものでもかまいません。右ページにあるフォーマットをExcelなどの表計算ソフトで作成してもいいでしょう。

現金出納帳の書き方

　現金出納帳に記入して、**金庫やレジの現金残高と帳簿の残高が合っているかを毎日照合**します。釣り銭の間違いなどによって、現金と帳簿の残高が合わない場合には、その原因を究明する必要があります。

　このように現金の管理は手間がかかりますから、**現金のやりとりはできるだけシンプルにしましょう。それが経理事務を簡略化するコツ**です。例えば、経費の支払日を毎月〇日など特定の日にする、口座振替を利用する、といったようにです。

簡単経理のツボ！ 3-01

経費の支払日を特定する、口座振替を利用するなどして
現金のやりとりをシンプルにしよう。

帳簿に記入してみよう！

①10月1日　　預金口座から30,000円引き出して金庫に入れた。
②10月1日　　A文具店からボールペンの替え芯をまとめ買いして1,000円支払った。
③10月2日　　事務所にあった仕事用の本を古本店に560円で売った。
④10月3日　　宅配便で商品を発送し840円支払った。

事業用の預金口座から引き出して金庫に入金した場合は、「預金引出」と記入。

前月からの繰越額を一番上に記入する。

現金出納帳

月	日	勘定科目	摘　要	入　金	出　金	残　高
10	1		前月から繰越			58,321
10	1	普通預金	預金引出	30,000		88,321
10	1	消耗品費	ボールペン替え芯		1,000	87,321
10	2	雑収入	古本売却	560		87,881
10	3	荷造運賃	宅配便		840	87,041

売上以外の収入は「雑収入」にする。

消耗品費など経費は「出金」に記入。

財布が2つあるイメージでレジ現金と小口現金を分ける

　日常的に発生する消耗品費などの経費の支払いにあてるだけなら、現金出納帳は1つでかまいません。しかし、飲食店や小売店のように、現金の出し入れが頻繁にある場合は、**レジの出し入れで使う現金**と、**経費の支払いで使う小口現金を分けて管理**することを検討してみましょう。

　閉店後にレジの中にあるお金はあらかじめ釣銭として入れてある釣銭準備金（つりせんじゅんびきん）と本日の売上代金です。ここから消耗品費などの経費のお金を出してしまうと、管理が煩雑になります。そこで、次のように現金と出納帳を2つに分けます。

①**レジ現金用**……レジと現金出納帳
②**小口現金用**（こぐちげんきん）……小口現金支払い用の財布（手提げ金庫）と小口現金出納帳

　レジ現金と小口現金、それぞれに財布と出納帳を分けることで、管理がシンプルになります。

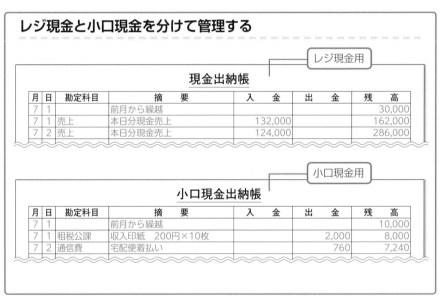

レジ現金と小口現金を分けて管理する

レジ現金用

現金出納帳

月	日	勘定科目	摘　　要	入　　金	出　　金	残　　高
7	1		前月から繰越			30,000
7	1	売上	本日分現金売上	132,000		162,000
7	2	売上	本日分現金売上	124,000		286,000

小口現金用

小口現金出納帳

月	日	勘定科目	摘　　要	入　　金	出　　金	残　　高
7	1		前月から繰越			10,000
7	1	租税公課	収入印紙　200円×10枚		2,000	8,000
7	2	通信費	宅配便着払い		760	7,240

簡単経理のツボ！ 3-02

レジ現金と小口現金は、財布と出納帳を2つ用意するイメージで。現金の管理が簡単になる。

② 「預金」は預金出納帳で管理する

出版社から原稿料が銀行振り込みで入金されることがよくあるんですが、どう管理したらいいですか？

フリーライター
Dさん

預金は預金出納帳で管理しましょう。通帳に記載されている金額とその内容を書き込むだけですから、簡単ですよ。

**預金管理の
ポイントはここ！**

◎個人用の預金口座と事業用の預金口座を必ず分けること！ 分けないと経理事務が複雑になります。
◎通帳が明細代わりになるので、まめに記帳を！ 記帳したら通帳に取引内容を簡単にメモしておきましょう。

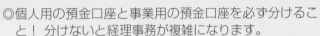

預金　事業用預金口座でお金の出し入れがあったとき

　事業用の預金口座でお金の出し入れがあったときに使うのが預金という勘定科目です。そして預金口座での入出金を発生順に記録し、通帳の残高と照合するための帳簿が預金出納帳です。売上代金や仕入代金など、取引先とやりとりされるお金は預金口座間で行われることも多いので、預金出納帳は必ずつけるようにしましょう。預金出納帳は現金出納帳と同様の形式で作成してもよいのですが、簡易な方法として、**普通預金通帳のコピー**（A4縦型に拡大コピーすると使いやすいです）**に手書きのメモを追加したもの**を、預金出納帳の代わりに使用することができます。

　また、**インターネットバンキングの場合（通帳が発行されないケース）、取引明細を印刷して手書きでメモを追加したもの**を預金出納帳とすることができます。Web上の取引データに直接摘要を入力できるものや、ダウンロードしたデータにメモを入力するなどして、預金出納帳とすることもできます。

　預金出納帳は、金融機関の通帳に記された内容をそのまま記入していくだけ

ですから、さほど手間はかかりません。インターネットバンキングでは、過去分を表示できなくなる前に、こまめに印刷しておきましょう。

簡単経理のツボ！3-03 普通預金の通帳のコピーに手書きのメモを追加したものを預金出納帳の代わりにできる。

通帳に取引の内容を簡単にメモしておく

金融機関の通帳には、摘要欄に入金先や出金先の名称が記載されます。しかし、金融機関によっては相手先名が印字されない場合もあるので、その際は「何のための入出金だったのか」を欄外にメモをしておくと便利です。通帳は定期的に記帳することを心掛け、その都度何の取引だったのかをメモしておきましょう。

記帳のたびに取引の内容を簡単にメモしておけば、あとで思い出すのに時間がかからないわね

預金出納帳の書き方

預金出納帳は、通帳に記載されている内容を記入していくだけですから、作成は簡単です。ただし、**預金通帳の入金欄・出金欄の表示と預金出納帳のそれとは左右が逆になっている**ので、注意して記入しましょう。

 帳簿に記入してみよう！

次の通帳の記帳内容から預金出納帳へ記入してみましょう。

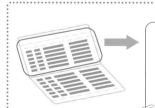

年月日	摘要	お支払金額	お預り金額	差引残高
xx-3-1	カード	30,000		326,579
xx-3-1	口座振替	4,637	携帯電話A社	321,942
xx-3-10	預金機		180,000	501,942
xx-3-10	カード	200,000		301,942

預金出納帳①　預金通帳をコピーする場合

何の記載もない場合は欄外へ何の取引だったのかをメモしておく。

年月日	摘要	お支払金額	お預り金額	差引残高	
xx-3-1	カード	30,000		326,579	金庫へ
xx-3-1	口座振替	4,637	携帯電話A社	321,942	
xx-3-10	預金機		180,000	501,942	B社売上
xx-3-10	カード	200,000		301,942	生活費

預金通帳をA4用紙に拡大コピーして欄外に取引内容をメモすれば、預金出納帳代わりになります

出金の場合、相手先がお預り金額の箇所に記入されることがある。これによって取引内容が判断できる場合がある。

預金出納帳②　預金通帳から書き写して作成する場合

通帳と同じ日付を記入。

入出金の勘定科目と簡単な内容を記入。

通帳の残高と合っているかを確認。

預金出納帳

月	日	勘定科目	摘　要	入　金	出　金	残　高
3	1	現金	小口現金		30,000	326,579
3	1	通信費	携帯電話使用料		4,637	321,942
3	10	売上	B社売上代金振込	180,000		501,942
3	10	事業主貸			200,000	301,942

通帳と同じ金額を記入。
入金と出金の欄が通帳と逆になっているので注意。

③ 商品売買の帳簿の記入方法

取り扱っている商品の種類や数が多いのですが、どうやって利益の計算をすればいいですか？

雑貨店経営
Eさん

販売代金は売上、購入代金は仕入としてその差額で**利益（粗利）**を計算します。

小額・多種類・多数の商品の
帳簿記入方法は？

◎会計期間中は、「**売上**」「**仕入**」の２つの勘定科目を使って帳簿記入をしましょう。
◎在庫がある場合は、決算で調整します。

🖩 一取引ごとに利益を計算する方法

商品の売買で動いているもの（資産）は、**商品**です。販売用の商品（**棚卸資産**と表現することもあります）は、通常、仕入れた値段より高い値段で販売することによって利益を得ます。**商品は１つでも２つの金額、つまり、仕入価格と販売価格の２つの金額がある**わけです。この２つの金額の差が利益となります。

例 自動車販売業

5/1 現金5,000,000円を元手として中古車販売業を開業した。
＋現金　　　　　　5,000,000円

5/1 販売用の自動車を5,000,000円で仕入れ、代金は現金で支払った。
＋販売用自動車　　5,000,000円
－現金　　　　　　5,000,000円（←現金の残高は0円）

5/10 上記の自動車を6,000,000円で販売し、代金は現金で受け取った。
－販売用自動車　　5,000,000円
＋現金　　　　　　6,000,000円（←内訳　元手　5,000,000円　利益1,000,000円）

106ページの自動車販売業の例を見てください。この取引の終わった後に手元に残っているのは、現金600万円ですが、このうち500万円は元手なので差引利益は100万円となります。

この方法は取り扱う棚卸資産（商品）の種類や量が少なく、また個々の単価が高額であるような商品の場合に適した記帳方法です。例えば販売用資産が土地、建物などの不動産や自動車、宝飾品などである場合は、販売の都度、個々の商品ごとに販売による利益の計算をすることができる点で優れていますが、あまり一般的ではありません。

売上と仕入の差額で利益を計算する方法

個々の商品単価が小額で、取扱商品も多種類にわたり、取扱数量が多い場合には、一取引ごとに販売益を計算することは不可能です。

そこで、商品売買の帳簿記入については、「売上」と「仕入」の勘定科目を使用した記帳を行うことにしたのです。販売価格を売上という勘定科目に集計し、仕入価格を仕入という勘定科目に集計して、一定期間の累計金額の差額で粗利（73ページ参照）を計算します。

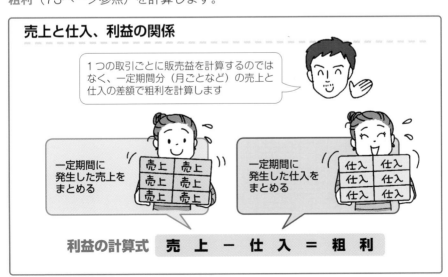

売上と仕入、利益の関係

1つの取引ごとに販売益を計算するのではなく、一定期間分（月ごとなど）の売上と仕入の差額で粗利を計算します

一定期間に発生した売上をまとめる

売上	売上
売上	売上
売上	売上

一定期間に発生した仕入をまとめる

仕入	仕入
仕入	仕入
仕入	仕入

利益の計算式　　**売　上　−　仕　入　＝　粗　利**

④ 収益と費用はいつ計上するのか？

雑貨店経営
Eさん

売上はその日の分
をまとめて計上し
てOKなんですよ
ね？

そのとおりです！
「○月○日本日売上
×××円」とまと
めてOKです。

**収益と費用、
計上時期の原則は？**

◎収益と費用は原則的には発生した時点で計上します。
◎飲食店や小売店だったら、その日ごとの売上をまとめ
　て計上します。

🧮 「いつの取引なのか」を特定するのが必要なわけ

　ここでは取引があった日を特定するルールを覚えましょう。

　個人事業の決算の日は毎年12月31日です。今年の12月31日と来年の1月
1日はたった1日しか変わりませんが、個人事業の決算においては大きな違い
があります。商品を販売（商品を納品）したのが12月31日の場合は今年の売
上となり、1月1日の場合は来年の売上となります。**どちらの日付で取引が行
われたのかによって、決算内容に差異が生じます。このため、いつの取引なの
かを特定するためのルールが必要**なのです。まず、そのルールの解説の前に、
混乱しがちな言葉の意味を解説します。

🧮 「収入」と「収益」、「支出」と「費用」の意味

　まず、**収益**や**費用**の意味を覚えてください。これらは収入、支出と似ていま
すが、収益と収入、費用と支出はそれぞれ別の内容です。

収益の代表的なものは、商品・製品などの販売代金、つまり売上です。

費用とは、売上などの収益を獲得するために要した金額の総称です。費用には、仕入、人件費、賃借料、旅費交通費、通信費、支払利息などのほか、販売した商品代金が回収不能となったことによる貸倒損失（かしだおれそんしつ）なども含まれます。

取引が発生した日に計上する－発生主義

当期中に発生したすべての収益と費用はその発生のときに計上する、のが原則です。この「計上する」とは、帳簿に記入する、またはパソコン会計ソフトに入力することをいいます。納品書、請求書や領収証などから帳簿に記入した時点で計上されたことになるのです。

「発生のとき」とは、取引のあった年月日です。売上は販売したとき、仕入は購入したときに計上し、給料・旅費交通費などの費用はそれらの取引の発生時に計上します。このように取引の発生時に計上することを発生主義といいます。

売上の計上と帳簿記入

飲食店・小売店など 店舗型ビジネス	フリーランスの ライターやデザイナーなど

手書きでの帳簿作成やPOSレジからのデータを連動しないで手作業で入力する場合には「○年○月○日 本日分売上××××円」などと記入する。	時分単位で売上が発生するわけではないので、年月日がわかればよい。納品書や請求書などで取引日を特定して記入する。

簡単経理のツボ！3-04

当期中の収益と費用は取引の発生時に計上する。

経費は現金で支出した日に計上する－現金主義

　旅費交通費など現金で支払う費用は、現金での支払時（支払った日）に費用に計上します。このように**現金で収入を得たとき、または支出したときに計上することを現金主義**といいます。

　例えば、お客様を接待してタクシーで送った場合、当日は飲食代やタクシー代の領収証を受け取るだけで、その日のうちに帳簿に記入することはできません。出張などの際には、あらかじめ当日の予算を決めて仮払いをしておく、または立て替えておくなどして、翌日以降に経費精算をするときに帳簿に記載されることになります。個人事業の場合にはここまで厳密に運用する必要はありません。接待の翌日や出張から帰ってきた日などに、それぞれの領収証の日付で帳簿記入または入力をすればよいのです。

商品の引き渡しや役務の提供が完了した日に計上

　いまは信用経済が発達し、取引先を信用して、即時に現金での決済をするのではなく、商品の引き渡し時には商品と納品書、一定期間の取引をまとめて支払いを依頼する請求書、というようにモノやサービスの流れとその代金の決済（受取や支払い）の時点が同時ではないケースがたくさんあります。

　帳簿に計上する日は、発注書や納品書、請求書、領収書などの書類が交わされた日、また代金の授受が行われた日ではありません。**いつ計上したらいいかがわからなくなったら、次のように「取引がいつ発生したか」をまず考えましょう。**

　商品の引き渡しを必要とする取引の場合には、その引き渡しの日に計上します。注文したときや代金を支払った日ではありません（代金の授受があったかどうかは関係ありません。詳しくは113ページ参照）。

　役務（サービス）の提供に関する取引の場合には、その役務のすべてを完了した日に計上します（便宜的に後日発行される請求書の日付で計上することもありますが、本来は完了の日に計上します）。

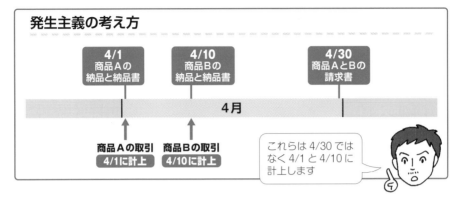

支払った日に計上する費用　3つのケース

　収益と費用は発生したときに計上するのが原則、といいましたが、次のケースA～Cのような費用は個人事業の場合、原則として支払った日に計上します（現金主義）。

ケースA 発生の都度現金での支払いが行われるもの

　接待交際費・旅費交通費のように現金で支払われるものについては、現金の支払い＝取引の発生となるため、現金を支払った日に支払額を費用に計上します。

ケースB 発生と支払いに期間的なズレのあるもの

　電気料金・水道料金・ガス料金などの水道光熱費や電話料金などの通信費は、毎日費用は発生していますが、通常1か月を単位として請求と支払いが行われます。

　毎月末に当月分（翌月の支払分）を費用に計上する方法もありますが、経理システム等の完成度が高くないと正確な処理はできません。そこで、個人事業などの中小企業の場合は現金主義により支払時の費用として計上する方法が採用されています。

ケースC 毎月定額を支払うもの

　地代家賃・保険料・リース料などは、毎日費用が発生しており通常1か月を単位として支払いが行われます。1日当たりの金額を計算することもできます

が、そのような計算は行わず、支払った日に支払額を費用として計上できます。

　なお、事務所や店舗などの家賃について当月分を前月末までに支払う前家賃方式の場合でも、家賃の支払時に支払額を計上します（決算時の処理は172ページ参照）。

取引の計上時期　まとめ

区分		計上時期
売上 （収益）		商品等を販売した（相手方に引き渡した）ときに計上
	現金販売	商品等を販売した（相手方に引き渡した）とき＝現金を受領したときに売上を計上
	掛け販売	商品等を販売した（相手方に引き渡した）ときに計上 ➡受取っていない代金は「売掛金」に計上
仕入 （費用）		商品等を購入した（受け取った）ときに計上
	現金仕入	商品等を購入した（引き渡しを受けた）とき＝現金を支払ったときに仕入を計上
	掛け仕入	商品等を購入した（引き渡しを受けた）ときに計上 ➡支払っていない代金は「買掛金」に計上
その他の収益		原則として入金したとき
その他の費用		原則として支払ったとき

○ Column ▶▶▶

売上は実現主義で計上？

　会計の専門書をみると収益は実現主義で、費用は発生主義で計上する…等と記載されています。ここまで「収益も費用も発生主義で計上する」と説明しているので、矛盾を感じる方もいらっしゃるでしょう。

　実現主義とは、収益は見込みで計上してはいけない、ということなのです。注文を受けただけでは売上ではありません。「注文を受けた商品を納品してその場で代金を受け取った」。これは売上です。「代金は後払いだけれども継続して取り引きのある得意先なので納品して受領書を受け取った」。これも売上となります。この代金を受け取った、または後払いで受け取る約束ができていることをもって「実現」と考えるのです（建設業などの一部例外もあります）。

⑤ 売上と売掛金

カメラマン
Jさん

クライアントからの支払いが納品を終えた月の翌月末にまとめて入ってくるんですが、どうやって処理したらいいですか？

クライアントに請求書を発行した時点で売掛帳に記入しましょう。

**売上管理の
ポイントはここ！**

◎飲食店や小売店などの現金売上が中心の場合は、レジの現金を**現金出納帳**に記入しましょう。
◎請求書を発行して後日入金される取引の場合は、**売掛帳**に記入します。

売上の計上時期

商品の販売、サービスの提供などで売り上げたときに発生する収入は、売上の勘定科目で処理します。

まず、売上の計上時期を整理しておきましょう。

売上の計上時期　原則

商品の引き渡しを必要とする取引の場合	➡	**その引き渡しの日に計上する。** *注文を受けた日や代金を受け取った日ではない。代金の授受があったかどうかは関係ない。
役務（サービス）の提供に関する取引	➡	**その役務のすべてを完了した日に計上する。** *便宜的に後日発行される請求書の日付で計上することもあるが、本来は完了の日に計上する。

114ページからは、販売代金をその場で現金で受け取る場合と商品先渡しで後日代金を受け取る場合に分けて説明します。

現金売上の処理のしかた

　小売業や飲食業、理美容店などのサービス業では、**商品やサービスと引き替えにその場で現金を受け取ります。これを** 現金売上 といいます。一般的に、現金売上の場合は、現金を受け取るたびにキャッシュ・レジスター（レジ）に売上の明細を入力し、閉店後に1日の売上代金を現金出納帳に記入します。

　小売店、飲食店、理美容店は、取引数が多いので、次のように毎日売上金額の確認をします。

現金売上の経理の流れ

❶取引があるごとにレジに明細を入力する。

❷お店の営業が終わったらレジを締めて、売上の日計を印字する（売上日計表の作成）。

❸レジの現金合計と売上日計表による現金が一致しているかを確認する（一致しない場合はその日のうちに原因を究明する）。

❹1日の売上代金を現金出納帳に記入する。

例 現金売上のみの場合

本日の売上　　　　150,000円（全額を現金で受け取り）
閉店時のレジ現金　180,000円（釣銭30,000円＋本日売上150,000円）
＊釣銭は毎日同額30,000円を準備している。

> これは「レジ用の現金出納帳」

現金出納帳

月	日	勘定科目	摘　　要	入　　金	出　　金	残　　高
7	1		前月繰越			30,000
7	1	売上	本日分現金売上	150,000		180,000

> 閉店時の現金を数えて釣銭準備金を引いた額を売上金額として記入。

簡単経理のツボ！ 3-05 現金売上は、現金を受け取るたびにレジに売上の明細を入力し、その日のうちに1日の売上代金を現金出納帳に記入。

掛売上の処理のしかた

　商品を取引先に納品して、後日売上代金を受け取るという取引があります。例えば、「4月10日に取引先A社に商品を渡して納品が完了した。商品代金20万円は5月31日に事業用の銀行口座に支払われる予定」といった取引です。このように**代金の回収を商品を販売したときではなく、一定期間経ってから行う取引のことを**掛取引といい、このような売上のことを**掛売上**といいます。

　そして**掛売上は売掛金という勘定科目で処理**します。

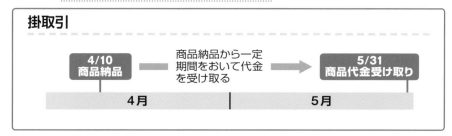

掛取引

| 4/10 商品納品 | 商品納品から一定期間をおいて代金を受け取る | 5/31 商品代金受け取り |

| 4月 | 5月 |

　売掛金の計上の日は、本来、商品を納品した日（役務を完了した日）です。ただし、個人事業の場合には、便宜的に請求書の発行日に、**◯月分売上請求などとして計上する**こともあります。会計期間中の取引は請求書発行日で計上し、決算時に調整する方法もあります。取引先が数社でほとんど変動がない等の場合はこの方法によって処理することも可能です。

売掛金の計上時期

| 4/10 商品納品 | 4/30 請求書発行 | 5/31 商品代金受け取り |

| 4月 | 5月 |

原則　本来なら納品の時点で計上

例外　便宜的に請求書の発行日に計上することもできる

現金売上と掛売上があった場合の処理

7/1 本日の売上が150,000円あった
　　（現金売上130,000円とA社への商品納品20,000円）
　　閉店時のレジ現金は160,000円
　　（釣銭準備金30,000円＋本日の現金売上130,000円）
　　＊釣銭は毎日同額30,000円を準備している。

現金で受け取った金額を記入。

現金出納帳

月	日	勘定科目	摘　　要	入　金	出　金	残　高
7	1		前月繰越			30,000
7	1	売上	本日分現金売上	130,000		160,000

掛売上を売掛帳に記入。

売　掛　帳

月	日	勘定科目	摘　　要	売上金額	受入金額	残　高
7	1		前月繰越			40,000
7	1	売上	得意先A社	20,000		60,000

現金出納帳と売掛帳の売上を会計ソフトに
入力すると、売上勘定（売上の勘定口座）
に次のように出力されます

売　　上

月	日	勘定科目	摘　　要	借　方	貸　方	残　高
						500,000
7	1	現金	本日分現金売上		130,000	630,000
7	1	売掛金	A社掛売上		20,000	650,000

売掛帳の書き方

売掛帳は、売上の計上と売掛金の入金状況などを確認する帳簿です。

　下の例のように、得意先に関係なく日付順に記入していく方法と、118ページにあるように得意先別に日付順に記入していく方法があります。取引数が少ない場合は、下のような記入のしかたでかまいません。

帳簿に記入してみよう！

①7月 1日　　X社に商品Aを100個納品した。
　　　　　　商品代金＠300円×100個＝30,000円の請求書と納品書を発行した。

②7月 1日　　Z社に商品Bを10個納品した。
　　　　　　商品代金＠17,000円×10個＝170,000円の請求書と納品書を発行した。

③7月10日　　X社から6月分の売掛金150,000円が普通預金に入金された。

④7月13日　　Z社に商品Cを30個納品した。
　　　　　　商品代金＠5,000円×30個＝150,000円の請求書と納品書を発行した。

⑤7月15日　　Y社に商品Dを25個納品した。
　　　　　　商品代金＠8,000円×25個＝200,000円の請求書と納品書を発行した。

⑥7月25日　　Y社から6月分の売掛金300,000円が普通預金に入金された。

回収したらここに記入。

売 掛 帳

月	日	勘定科目	摘　要	売上金額	受入金額	残　高
7	1		前月繰越			450,000
7	1	売上	X社　商品A納品	30,000		480,000
7	1	売上	Z社　商品B納品	170,000		650,000
7	10	普通預金	X社　6月分振込入金		150,000	500,000
7	13	売上	Z社　商品C納品	150,000		650,000
7	15	売上	Y社　商品D納品	200,000		850,000
7	25	普通預金	Y社　6月分振込入金		300,000	550,000

 # 売掛となる取引先が複数ある場合の管理方法

　得意先件数が少ない場合でも得意先ごとに管理することで、売掛金の発生状況と回収状況を管理することが簡単にできます。

　パソコンの会計ソフトでは、**補助科目の登録***という機能を活用して、**得意先別に売掛金を管理することができます。**＊メーカーによって名称が異なることがあります。

取引先ごとに売掛金の発生と回収を管理する

> 取引先ごとにコードをつけて管理することで、取引先ごとの売掛金の内訳明細が一覧できる。

売掛金-101　X　社

月	日	勘定科目	摘　要	売上金額	受入金額	残　高
7	1		前月繰越			150,000
7	1	売上	商品A 100個×@300円	30,000		180,000
7	10	普通預金	6月分振込入金		150,000	30,000

売掛金-102　Y　社

月	日	勘定科目	摘　要	売上金額	受入金額	残　高
7	1		前月繰越			300,000
7	15	売上	商品D 25個×@8,000円	200,000		500,000
7	25	普通預金	6月分振込入金		300,000	200,000

売掛金-103　Z　社

月	日	勘定科目	摘　要	売上金額	受入金額	残　高
7	1		前月繰越			0
7	1	売上	商品B 10個×@17,000円	170,000		170,000
7	13	売上	商品C 30個×@5,000円	150,000		320,000

⑥ 仕入と買掛金

販売商品を注文したら、注文した日に仕入に計上するのですか？

雑貨店経営
Eさん

いえ、通常は納品があった日に計上します。注文した時や代金を支払った日ではありませんよ。

**仕入管理の
ポイントはここ！**

◎現金仕入の場合は、**現金出納帳**に記入しましょう。
◎仕入代金を後日支払う場合は、**買掛帳**に記入します。

仕入の計上時期

仕入先から商品を仕入れるためにかかった費用は、仕入という勘定科目で計上します。これには購入代金のほかに引取運賃などの付随費用も計上します。最初に仕入の計上時期を整理しておきましょう。

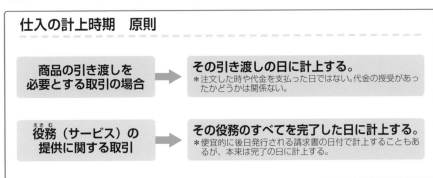

仕入の計上時期　原則

商品の引き渡しを必要とする取引の場合	**その引き渡しの日に計上する。**＊注文した時や代金を支払った日ではない。代金の授受があったかどうかは関係ない。
役務（サービス）の提供に関する取引	**その役務のすべてを完了した日に計上する。**＊便宜的に後日発行される請求書の日付で計上することもあるが、本来は完了の日に計上する。

　120ページからは、仕入代金をその場で現金で支払う場合と商品を先に受け取って後日代金を支払う場合に分けて説明します。

現金仕入の処理のしかた

　毎日仕入を行っている飲食店などでは**日々の仕入代金を現金で支払っている場合があります。これを**現金仕入といいます。現金仕入の場合は、その日のうちに現金出納帳に仕入代金を記入するのが基本です。

現金仕入の経理の流れ

❶現金で仕入代金を支払ったら領収証を受け取る。

❷その日のうちに現金出納帳に記入する。

❸現金出納帳の残高と現金の残高が合っているか確かめる。

例 現金仕入のみの場合

7月 1日　仕入 M社 商品E　5個　　50,000円（現金支払い）
7月 15日　仕入 N社 商品F 10個　100,000円（現金支払い）

摘要には明細を書いておく。

現金出納帳

月	日	勘定科目	摘　　要	入　金	出　金	残　高
7	1		前月繰越			500,000
7	1	仕入	M社　商品E 5個		50,000	450,000
7	15	仕入	N社　商品F 10個		100,000	350,000

簡単経理のツボ！ 3-06

現金仕入は、現金で支払ったその日のうちに
取引ごとに現金出納帳に記入。

掛仕入の処理のしかた

　商品を仕入れた場合、後日まとめて仕入代金を支払うということがよく行われます。**代金の支払いを商品が納品されたときではなく、後日支払う取引を掛取引**といい、**このような仕入のことを掛仕入**といいます。**掛仕入は買掛金という勘定科目で処理**します。そして、**買掛金が発生したときに記入する帳簿が買掛帳**です。

　なお、**買掛金の計上の日は、本来、商品の引き渡しを受けた日**ですが、個人事業の場合には、便宜的に、**受け取った請求書の発行日に、○月分仕入などとして計上する**こともあります。期中の取引は請求書発行日で計上し、決算時に調整する方法もあります。取引先が数社でほとんど変動がない等の場合はこの方法によって処理することも可能です。

掛取引での仕入処理

❶**商品の引き渡しを受けた日に買掛帳に記入。**

❷**取引先から請求書を受け取る。**

❸**仕入代金を振り込む。支払ったことを買掛帳に記入。**

簡単経理のツボ！
3-07

掛仕入は、商品の引き渡しを受けた日に買掛帳に記入。

買掛帳の書き方

　買掛帳は、仕入の計上と買掛金の支払い状況などを確認するための帳簿です。

　122ページの例のように、取引先に関係なく日付順に記入していく方法と、123ページにあるように取引先別に日付順に記入していく方法があります。取引数が少ない場合は、122ページのような記入のしかたでかまいません。

①7月 1 日　　M社から商品G 5個（単価10,000円）が納品された。

②7月 1 日　　O社から商品H 10個（単価20,000円）が納品された。

③7月13日　　O社から商品I 30個（単価5,000円）が納品された。

④7月15日　　N社から商品J 10個（単価10,000円）が納品された。

⑤7月31日　　M社へ6月分の買掛金250,000円を普通預金から振り込んだ。

⑥7月31日　　N社へ6月分の買掛金300,000円を普通預金から振り込んだ。

仕入金額を記入する。

買　掛　帳

月	日	勘定科目	摘　　要	支払金額	仕入金額	残　　高
7	1		前月繰越			550,000
7	1	仕入	M社　商品G納品		50,000	600,000
7	1	仕入	O社　商品H納品		200,000	800,000
7	13	仕入	O社　商品I納品		150,000	950,000
7	15	仕入	N社　商品J納品		100,000	1,050,000
7	31	普通預金	M社　6月分買掛金支払	250,000		800,000
7	31	普通預金	N社　6月分買掛金支払	300,000		500,000

支払金額を記入する。

買掛となる取引先が複数ある場合の管理方法

　買掛先件数が少ない場合でも取引先ごとに管理することで、買掛金の発生状況と支払状況を管理することが容易にできます。

　パソコン会計ソフトでは、**補助科目の登録***という機能を活用して、**取引先ごとに買掛金を管理することができます**。＊メーカーによって名称が異なることがあります。

取引先ごとに買掛金の発生と支払いを管理する

取引先ごとにコードをつけて管理すれば、取引先ごとの買掛金の勘定口座が一覧できる。

買掛金-101　M　社

月	日	勘定科目	摘　　要	支払金額	仕入金額	残　　高
7	1		前月繰越			250,000
7	1	仕入	商品G 5個		50,000	300,000
7	31	普通預金	6月分振込支払い	250,000		50,000

買掛金-102　N　社

月	日	勘定科目	摘　　要	支払金額	仕入金額	残　　高
7	1		前月繰越			300,000
7	15	仕入	商品J 10個		100,000	400,000
7	31	普通預金	6月分振込支払い	300,000		100,000

買掛金-103　O　社

月	日	勘定科目	摘　　要	支払金額	仕入金額	残　　高
7	1		前月繰越			0
7	1	仕入	商品H 10個		200,000	200,000
7	13	仕入	商品I 30個		150,000	350,000

簡単経理のツボ！
3-08

買掛帳は残高管理がしやすい仕入先ごとの帳面を用意。
取引数が少ない仕入先は「その他の仕入先」でまとめてOK。

⑦ 事業主借・事業主貸・元入金
（じぎょうぬしかり　じぎょうぬしかし　もといれきん）

お店のお金を一部生活費にあてるときはどう処理をしたらいいんですか？

ネイルサロン経営
Bさん

事業用のお金を個人のお金にするときは事業主貸という勘定科目で処理します。

事業用のお金と個人のお金をやりとりするとき

◎個人のお金を事業用のお金に移動するときは**事業主借**を、事業用のお金を個人のお金に移動するときは**事業主貸**を使います。

◎特に事業主貸は生活費を引き出すときに使うので、処理のしかたを覚えておきましょう。

🖩 **事業主借**（じぎょうぬしかり）　プライベートのお金をビジネスのお金に移動したとき

　個人事業を営んでいると、プライベートのお金を事業用の預金口座に入金したり、逆に事業用の預金口座からプライベートの預金口座にお金を移動する、といったやりとりがよく行われます。このとき使われるのが、**事業主借**と**事業主貸**の勘定科目です。

　プライベートのお金をビジネスのお金に移動したときに使われる勘定科目が事業主借です。例えば、資金繰りの都合で事業用の預金口座にプライベートの預金口座からお金を入金した、といったときに使われます。勘定科目は「プライベートの自分から事業主である自分がお金を**借りた**」という意味で、「借」の文字がついています。

「個人から借りた」というように考えられる
➡ **事業主借**という勘定科目に区分する

5月10日　事業用の預金口座に個人のお金を100,000円入金した。

個人の預金口座から振り込んだ
金額を「入金」の欄に記入する。

預金出納帳

月	日	勘定科目	摘　　要	入　金	出　金	残　高
5	10	事業主借	個人預金口座から入金	100,000		××××××

事業主貸　ビジネスのお金をプライベートのお金に移動したとき
（じぎょうぬしかし）

ビジネスのお金をプライベートに移動したときに使われる勘定科目が事業主貸です。例えば、事業用の預金口座から生活費を引き出した、といったときに使われます。勘定科目は「プライベートの自分へ個人事業主である自分がお金を**貸した**」という意味で、「貸」の文字がついています。

事業主貸は生活費の引き出しだけでなく、水道光熱費や地代家賃など個人と仕事の按分（あんぶん）をする支出でも使われる勘定科目です（按分のしかたと帳簿記入の方法は137ページを参照してください）。

「個人に貸した」というように考えられる
➡事業主貸という勘定科目に区分する

帳簿に記入してみよう！

5月31日　生活費として事業用の預金口座から200,000円を引き出した。

引き出した金額を「出金」の欄に記入する。

預金出納帳

月	日	勘定科目	摘　　要	入　金	出　金	残　高
5	31	事業主貸	生活費として引き出し		200,000	××××××

簡単経理のツボ！ 3-09

プライベート口座➡事業用口座へお金を移動…「事業主借」
事業用口座➡プライベート口座へお金を移動…「事業主貸」

元入金（もといれきん）　事業を始めるときの元手のお金

　事業を始めるときの元手になるお金は、プライベートの自分から個人事業主である自分がお金を借りた、ということでこれも帳簿に記入しておく必要があります。このとき使われるのが元入金（もといれきん）という勘定科目です。会社の資本金に当たります。

　年末の時点で、その会計年度での事業主借と事業主貸の差額と元入金を相殺して、翌期の元入金に繰り越します。

帳簿に記入してみよう！

4月1日　事業用の預金口座に事業の元手となるお金を500,000円入金した。

開業日の日付で記入。

元入金の金額を記入する。

預金出納帳

月	日	勘定科目	摘　　要	入　金	出　金	残　高
4	1	元入金		500,000		500,000

取材の経費精算が面倒でいつも後回しになってしまいます。うまい処理方法はありませんか？

カメラマン
Jさん

取材費精算表を作成したらどうでしょう。まとめて「取材費」として処理できますよ。

経費の処理
注意したい点は？

◎経費の計上時期は「発生したとき」が原則です。
◎ただし、水道光熱費など発生と支払いにずれがあるものは注意しましょう。

経費の計上時期は現金主義が原則

　ここでは損益計算書にある経費の勘定科目をまとめて解説します。

　経費の処理で気をつけたいのは計上する時期です。収益と費用は発生したときに計上するのが原則、といいました（109ページ）。経費は費用のグループに含まれますから、原則的に「発生したとき」に計上します。ただし、いくつか例外があります。次の原則を覚えておきましょう。

ケース1 発生の都度現金での支払いが行われるもの

　接待交際費・旅費交通費のように現金で支払われるものについては、現金の支払い＝取引の発生となるため、現金を支払った日に支払額を費用に計上します。

ケース2 発生と支払いに期間的なズレのあるもの

　電気料金・水道料金・ガス料金などの水道光熱費や電話料金などの通信費は、毎日費用は発生していますが、通常1か月を単位として請求と支払いが行われます。

　毎月末に当月分（翌月の支払分）を費用に計上する方法もありますが、経理システム等の完成度が高くないと正確な処理はできません。そこで、個人事業の場合は、実務的には現金主義により、**支払い時の費用として計上**する方法が採用されることもあります。

ケース3 毎月定額を支払うもの

　地代家賃・保険料・リース料などは、毎日費用が発生しており通常1か月を単位として支払いが行われます。1日当たりの金額を計算することもできますが、そのような計算は行わず、**支払った日に支払額を費用として計上**します。

　なお、家賃について当月分を前月末までに支払う前家賃方式の場合でも、家賃の支払い時に支払額を計上します（決算時の処理は172ページ参照）。

経費をクレジットカードで支払った場合の処理

　クレジットカードで経費の支払いをした場合でも、領収証は必要です。後日郵送されてくる、あるいはWeb上で確認する利用明細で経費管理を行うことは可能です。しかし、支払ったことの証拠となるのはあくまでも領収証なのです。amazonや楽天、その他のWebショップで消耗品やパソコンなど経費となるものを購入することもありますね。この場合でもクレジットカードによる決済完了後に領収証を発行する画面表示があるはずです。注文書と領収証は印刷して保管しておきましょう。

経費の精算が遅いとダメな理由

　「うちは規模が小さいし取引数も少ないから1年に1回の決算のときだけに集計すればいいのでは？」という相談を受けます。しかし、月ごとに損益（儲け）を計算することで、余裕をもって経営計画や決算対策、節税を検討することができます。**その月の経費をその月に計上することで正確な儲けを知ることができるのですから、「経費の精算はできるだけ早く」を原則にしてください。**

　また、領収証をためてしまうと、かすかな記憶を頼りに帳簿を作成しなくてはなりません。思い出しながらの作業は効率が悪く、無駄な時間を費やすことになります。領収証をためないようにするためには、**最低でも週に1回は仕事の進捗状況のメンテナンスなども兼ねて帳簿作成の時間を作る**ようにしましょう。また、記憶が明確なうちに領収証に**どのような目的の費用だったのかをメモ書き**しておくといいでしょう。日付、支払先、金額、取引内容、誰とどんな目的でといったことが特定できれば、後は日付順に帳簿記入していくだけです。

記憶が明確なうちに領収証に取引の内容をメモしておこう。

損益計算書にある経費一覧 （○：青色申告決算書にある勘定科目）

勘定科目		処理する内容など
旅費交通費	○	電車賃、バス代など業務での移動に使った交通費、出張時の宿泊費、タクシー代
広告宣伝費	○	商品の広告、宣伝に使った費用
租税公課	○	固定資産税、自動車税（種別割）、収入印紙税など
地代家賃	○	土地、建物等を賃借している場合の使用料・共益費など
給料賃金	○	社員、従業員の給料など
福利厚生費	○	従業員のための娯楽慰安、保健衛生等のための費用
接待交際費	○	取引先に対する接待、慰安、贈答などの支出
荷造運賃	○	商品などを発送したとき
消耗品費	○	事務用の文房具などの消耗品の購入のための費用
外注工賃	○	業務の一部を外部の業者にお願いしたときに支払う対価
支払報酬		弁護士、公認会計士、税理士、司法書士、デザイナー、カメラマン、イラストレーター、ライターなどの専門家に支払う報酬
水道光熱費	○	水道料金、電気料金、ガス料金
通信費	○	固定電話、携帯電話での通信代、インターネットの回線使用料、切手代
新聞図書費		情報収集のための新聞、雑誌、書籍の購入費
損害保険料	○	建物、機械等の保険料
保管料		商品を倉庫会社に預けた場合の保管費用
賃借料		機械等を賃借している場合の使用料
修繕費	○	パソコン、車両、機械装置などの維持管理にかかった費用
減価償却費	○	固定資産の購入代金を定められた期間に分けて計上する費用
利子割引料	○	銀行などからの借入金に対して支払った利息
雑費	○	営業活動に直接関連がある支出のうち、特に別科目として処理する必要のないもの
雑収入		取引金額が少額な一時的な収入
雑損失		営業活動に直接関係ない支出で、特定の勘定科目を設ける必要のない少額の支出など

旅費交通費 業務での移動に使った交通費・出張時の宿泊費

電車賃やバス代、タクシー代、航空運賃などの費用や出張に伴う宿泊代は、**旅費交通費**の勘定科目で処理します。

●近距離の移動の場合

電車賃など、日々の交通費には領収証が発行されません。領収証のない支出は原則的には費用計上できません。このような場合は**出金伝票**、または行き先や交通機関、移動の目的などを明示した**交通費精算書**を作成します。表計算ソフトでフォーマットを作っておくと便利です。仕事専用の交通系ICカード（Suicaなど）を作れば、履歴の印字などで精算表に替えることもできます。現金出納帳に記入する際は、交通費の発生ごとの記帳を省略して「○月分交通費」としてその月の交通費をまとめて計上することができます。

> ### ちょっと補足
> **表計算ソフトによく使う経路の金額を入れておく**
>
> 交通費の精算は移動が多いとかなり面倒です。よく使う経路は表計算ソフトの別シートにあらかじめ入力しておけば、精算のときにコピー＆ペーストで入力できます。

交通費精算書

6月分交通費

月日	行き先・目的	交通手段	経　路	片道／往復	金　額
6/6	A社打ち合わせ	ＪＲ	○○駅−△△駅	往復	¥280
6/6	Bさん商談	地下鉄	○○駅−□□駅	往復	¥340
6/11	C社へ商品引き取り	バス	○○○−△△△	往復	¥580
合　計					¥2,500

●取材などでの交通費・宿泊費

取材、遠方での打ち合わせの場合の旅費や宿泊費も旅費交通費で処理できます。取材がひんぱんにある方は**取材費**という旅費交通費とは別の勘定科目を立てたほうが1年間の取材費の金額がわかって便利です。その場合、取材でかかった旅費交通費に分類される領収証をまとめて1枚の用紙に貼っておき、タイトルに「○年○月○日　△△取材旅費交通費」とまとめておきましょう。現金出納帳には「○年○月○日　△△取材費」として一括して記入すればOKです。

広告宣伝費 商品の広告、宣伝に使った費用

ビジネスや商品の広告、宣伝を行うための費用は、**広告宣伝費**もしくは**販売促進費**の勘定科目で処理します。具体的には、次のようなものが挙げられます。

広告宣伝費に含まれるもの

商品の販売促進のための広告料、チラシ代	景品付き販売のための景品代
ダイレクトメールの制作費、発送費	商品のカタログ、パンフレット制作費
ホームページの制作費	展示会などの会場費、イベント代

 租税公課（そぜいこうか） 印紙税や事業税、固定資産税などの税金

租税公課とは、税金や罰金など、国や地方公共団体へ支払うお金のことです。国税や地方税などのことを**租税**、租税以外の賦課金や罰金などのことを**公課**といいますが、それらを計上する勘定科目を**租税公課**といいます。

租税公課　費用計上できるものとできないもの

費用計上できるもの	印紙税	領収証などに添付される収入印紙代
	事業税	前年の事業所得に課税される税金。税額は都道府県から通知される。
	固定資産税	土地や建物の所有者に課税。また、機械や備品に対しても償却資産分として固定資産税が課税される。償却資産は毎年1月に申告書を提出。
	自動車税	自動車の所有者に課税される。都道府県から納税通知書が送られてくる。
	自動車取得税	自動車を取得した際に課税される。
	消費税	税込経理の場合の消費税申告納税額
費用計上できないもの	所得税 住民税 相続税	——
	加算税	申告や納付が法定期限内に行われない場合に課税
	延滞税	納税が納期限を過ぎた場合の利息
	罰金・科料・過料	交通反則金など

租税公課には費用計上できるものとできないものがあります。

租税公課には、事業用割合分しか算入できないものがあります。**オフィスと自宅を共用している不動産の固定資産税や、プライベートでも使用する車の自動車税など**です。これらは、使用面積や利用割合で按分計算することになります。これらの按分計算については、137ページでまとめたので参考にしてください。

 地代家賃　オフィスや店舗の賃借料・共益費など

オフィスや店舗、工場、倉庫、駐車場、土地などを借りた場合、賃借料のほかに礼金、敷金、仲介手数料といったさまざまな支出が発生します。

賃借料や共益費は地代家賃の勘定科目で処理します。「毎月末までに翌月分の賃借料を支払う」といった契約であったとしても、**毎月同じ額を継続的に支払っていれば、翌月ではなく支払時点で計上**します。なお、**仕事に使う倉庫や工場などの家賃、仕事で使う自動車の月極駐車場代なども地代家賃で処理**します。

なお、地代家賃や共益費以外の支出については次のように処理します。

地代家賃・共益費以外の賃借事務所に関する支出の処理

礼金・更新料	●20万円未満の場合には、支払時に「地代家賃」で処理。 ●20万円以上の場合には、「前払費用」で処理。賃借期間で均等に償却。
敷金・保証金	賃貸借契約の解約時に返還される敷金・保証金などは「敷金」の勘定科目を作って資産に計上する。
仲介手数料	不動産業者への仲介手数料は支払時に「支払手数料」として費用に計上する。

接待交際費　取引先に対する接待、慰安、贈答などの支出

取引先など事業に関係している会社や個人に対する接待や贈答などでの支出は接待交際費という勘定科目で処理します。

接待交際費として計上できるのは次のようなものです。

接待交際費で処理する支出

ビジネスに必要な得意先などとの飲食代	手土産・中元・歳暮の贈答費用
同業者団体の食事会費	取引先への慶弔見舞金
取引先とのゴルフ代	

　個人事業の場合、接待交際費に限度額がないので全額費用に計上できます。これは個人事業主の方にとって大きなメリットですが、それゆえにプライベートでの使用ではないことを明らかにしなければなりません。使用目的が明らかでない支出は接待交際費として認められません。例えば、取引先との会食の場合は、相手方の名前、人数、その会食の目的などを領収証に残しましょう。贈答品についても、誰に何のために送ったのかを記しておきます。

　なお、**領収証がもらえない祝金、香典などの慶弔見舞金を費用計上するには、**出金伝票（26ページ参照）などを用意し、「いつ、誰へ、何のために、いくら」支出したかを明確にします。招待状なども証拠として保存しておきましょう。

 荷造運賃（にづくりうんちん）　商品などを発送したとき

　宅配便やトラック便、郵便などで商品を発送、移動したときの運賃は荷造運賃という勘定科目で処理します。

　宅配便をよく使う場合は、月末などに一括精算してもらう契約を宅配便会社と結ぶと便利です。支払った際に領収証を受け取り、その金額を「○月分宅配便代」として現金出納帳に記入するだけでOKです。

 消耗品費　消耗品を購入したとき

　筆記用具などの事務用品、OA機器やプリンターのトナー、食器やテーブルなどの調度品などのうち**「使用可能期間が1年未満」もしくは「取得価額が10万円未満」のものは消耗品費の勘定科目で処理します。**

使用期間が1年以上で、さらに取得価額が10万円以上の物品の購入代金は、基本的に購入したときに全額を費用計上することはできません。この場合、工具器具備品や機械装置、車両運搬具などの勘定科目で計上し、減価償却することになります。減価償却の詳細については178ページを参照してください。

取得価額が10万円未満という基準については、次の点に注意が必要です。

取得価額の計算　注意点

1セット単位で判定する

応接セットとして60,000円のテーブルと15,000円のイス 4 脚を購入した場合、これらは単体ではなくセットとして機能するとみなされ、合計価額の12 万円を 1 セットとして認識されます。ですので、勘定科目は工具器具備品になります。

付随費用も加算する

購入代金のほかに引取運賃や購入手数料などの付随費用がかかる場合、これらも資産の取得価額の一部とみなされます。

 水道光熱費　上・下水道料金、電気料金、ガス料金

上・下水道料金、電気料金、ガス料金、灯油などは水道光熱費の勘定科目で処理します。自宅と店舗、事業所を兼ねる場合、水道料金、電気料金、ガス料金などは個人用と事業用の割合によって按分します（137ページ参照）。ただし、自宅兼事務所の場合、ガスと水道は私用が多いので、経費になりにくいでしょう。

 通信費　固定電話や携帯電話、インターネットの回線使用料、切手代など

事業用の固定電話や携帯電話の使用料、切手代などは通信費の勘定科目で処理します。通信費で計上できるのは次のようなものです。

通信費の勘定科目で処理するもの

固定電話、携帯電話の基本料と使用料

インターネットの回線使用料とプロバイダ料金

切手代、ハガキ代、宅配便やバイク便の料金

●商品の発送費
「荷造運賃」で処理
●ダイレクトメールの発送費
「広告宣伝費」で処理

損害保険料 店舗や事務所の火災保険料など

　店舗の火災保険料や施設賠償保険料、商品の盗難保険料、自動車保険料などで、満期返戻金のない、いわゆる「掛け捨て保険」の保険料は損害保険料の勘定科目で処理します。

　自宅と店舗、事業所を兼ねる場合は、個人用と事業用の使用床面積の比などによって保険料を按分します（137ページ参照）。

 修繕費 パソコンやコピー機、店舗などの維持管理にかかった費用

　事業用の建物、コピー機やパソコンなどの機械装置、営業用車両など車両運搬具などの固定資産の維持管理にかかる費用は修繕費の勘定科目で処理します。

　維持管理とは具体的に、店舗外壁の塗り替え、屋根の補修など、コピー機などの定期メンテナンス費、出張修理での修理代、営業車両の車検代などが当たります。

 給料賃金 従業員の給料や手当、賞与など

　従業員やパート、アルバイトへの給料や手当、賞与、退職金など労働の対価として支払ったものは給料賃金で処理します。ただし、家族への給与・賞与などの場合は専従者給与で処理します。給与支払い時に天引きする源泉所得税や健康保険料などは預り金で処理します。

 福利厚生費 残業食事代、慰安旅行の費用など

　従業員の定期健康診断、慰安旅行の代金、残業時の夜食代、忘年会・新年会の費用、従業員の結婚のお祝い金、従業員の家族へのお見舞い金・お香典など、従業員の健康維持、慰労のための費用は福利厚生費で処理します。

利子割引料 借入金にかかる利子を計上するとき

金融機関からの借入をしたときに、支払う利子を計上するときに使うのが**利子割引料**という勘定科目です。事務所のリフォームや営業車両の購入時にローンを組んだとき、そのローンの利息も経費になります。

 雑費 その他の経費をまとめて計上

営業活動に関連のある支出のうち、特定の勘定科目を設ける必要のない支出は**雑費**という勘定科目で処理します。ただし、雑費の残高が大きい場合は、次のような勘定科目を設定して計上しましょう。確定申告の際の収支内訳書や青色申告決算書にある損益計算書の空欄に新たな科目を付け足すことができます。

勘定科目の例

打合会議費	打ち合わせで使った喫茶店での飲食代、昼食代、場所代を計上するときに使う勘定科目。接待交際費と似ているが、接待交際費は「取引先に対する接待、慰安、贈答」に関わるお金に限られる。
支払手数料	こちらから取引先へ支払ったときの銀行の振込手数料、また取引先が売上代金の振り込みをした際に差し引いた振込手数料を処理するときに使う勘定科目。
衛生費	飲食業や理美容業でのおしぼり、クリーニングなど、衛生上必要な経費をまとめて処理する勘定科目。

 経費等の金額判定の際の消費税の扱い

消費税の会計処理には**税込経理**と**税抜経理**がありますが、消耗品費・減価償却資産の取得価額の判定は次のとおりです。つまり、税抜経理のほうが10万円未満となりやすく、一度に経費にできる確率が高くなります。

免税業者
課税業者（税込経理） ➡ 消費税込金額で判定

課税業者（税抜経理） ➡ 消費税抜金額で判定

⑨ 自宅の家賃、水道光熱費を経費にする

フリーライター
Dさん

自宅マンションの一室を仕事用にしているのですが、家賃を経費にすることはできますか？

自宅面積のうち事業で使っている割合で家賃を按分し、事業用分のみ経費にできます。

自宅の家賃や水道光熱費を経費にするには？

◎自宅兼事業所、自宅兼店舗の家賃、水道光熱費は**按分**して事業用分を経費にできます。
◎地代家賃や固定資産税、火災保険料 ➡ 面積比率で按分する。
◎水道光熱費、ガソリン代 ➡ 使用比率で按分する。

🖩 地代家賃を按分する

　自宅の一部を事業用に使用している場合、床面積を基準として事業分の家賃を計算します。例えば、自宅の床面積が70m²でそのうち事業用に20m²使っているとしたら、家賃のうち20／70を地代家賃として経費にすることができます。なお、共有部分も事業用に使っているのなら一部経費にできる場合があります。

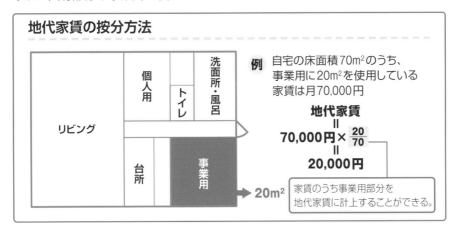

地代家賃の按分方法

リビング｜個人用｜トイレ｜洗面所・風呂

台所｜事業用 ➡ 20m²

例　自宅の床面積70m²のうち、事業用に20m²を使用している家賃は月70,000円

地代家賃
＝
70,000円 × $\frac{20}{70}$
＝
20,000円

家賃のうち事業用部分を地代家賃に計上することができる。

自宅兼事務所の場合の家賃などの計上方法

　自宅兼事務所で家賃（または固定資産税や管理費）、電話料金、電気、ガス、水道料金のうち一部を必要経費に計上する場合、2つの記帳方法があります。

　どちらを採用しても結果的には同じになりますが、途中の処理方法が異なりますから、きちんと理解しておきましょう。次の家賃の例で説明しましょう。

> **例** 家賃総額80,000円／月（事業割合は30%）　当月分当月末支払い
> 　　8月1日から事業開始（80,000円×5か月＝400,000円）

方法1 いったん支払額の全額を経費に計上する方法

❶支払い時に（按分しないで）全額を地代家賃として計上します。

❷決算時に非事業部分を除外します。

| 事業用 | | 400,000円 | ×30%＝120,000円 |
| 事業用以外 | | | ×70%＝280,000円 |

●預金出納帳の記入例

地代家賃

月	日	勘定科目	摘　　要	入　金	出　金	残　高
9		(記載省略)				500,000
9	28	地代家賃	○○ハウジング		80,000	420,000

●総勘定元帳

地　代　家　賃

月	日	勘定科目	摘　　要	借　方	貸　方	残　高
8	25	普通預金	○○ハウジング	80,000		80,000
9	28	普通預金	○○ハウジング	80,000		160,000
10	28	普通預金	○○ハウジング	80,000		240,000
11	28	普通預金	○○ハウジング	80,000		320,000
12	28	普通預金	○○ハウジング	80,000		400,000
12	31	事業主貸	決算整理　家事費除外		280,000	120,000

> 処理は簡単ですが、毎月の月次決算の数字が不正確になるというデメリットがあります

方法2 支払いの都度、振り分けて計上する方法

毎月支払い時に按分して地代家賃と事業主貸に振り分けます。

| 事業用 | | 80,000円 | ×30%＝24,000円 |
| 事業用以外 | | | ×70%＝56,000円 |

> この方法で帳簿作成している場合には、決算の時に事業主貸勘定に振り分ける処理は不要となりますが、毎月の処理が煩雑になります

●預金出納帳の記入例

月	日	勘定科目	摘　要	入　金	出　金	残　高
9		（記載省略）				500,000
9	28	地代家賃	○○ハウジング		24,000	
9	28	事業主貸	○○ハウジング		56,000	420,000

●総勘定元帳

地 代 家 賃

月	日	勘定科目	摘　要	借　方	貸　方	残　高
8	25	普通預金	○○ハウジング	24,000		24,000
9	28	普通預金	○○ハウジング	24,000		48,000
10	28	普通預金	○○ハウジング	24,000		72,000
11	28	普通預金	○○ハウジング	24,000		96,000
12	28	普通預金	○○ハウジング	24,000		120,000

●総勘定元帳

事 業 主 貸

月	日	勘定科目	摘　要	借　方	貸　方	残　高
8	25	普通預金	○○ハウジング	56,000		56,000
9	28	普通預金	○○ハウジング	56,000		112,000
10	28	普通預金	○○ハウジング	56,000		168,000
11	28	普通預金	○○ハウジング	56,000		224,000
12	28	普通預金	○○ハウジング	56,000		280,000

家賃以外の費用などの計上方法

　水道光熱費などの家賃以外の費用についても、合理的に算定した割合に応ずる金額を必要経費とすることができます。

こんなときどうする？

> **Ｑ** 自己所有のマンションの場合は？
>
> **Ａ** 次の計算をしてそれぞれの勘定科目で処理します。
> 　家屋の減価償却費　　× 使用割合➡減価償却費
> 　火災保険料　　　　　× 使用割合➡損害保険料
> 　固定資産税　　　　　× 使用割合➡租税公課

> **Ｑ** 物件を契約したときの敷金や礼金は？
>
> **Ａ** 敷金は解約時に戻ってくるお金なので、経費にすることはできません。あらかじめ償却部分（返ってこない部分）が決まっている場合は経費にできます。礼金は使用割合に対応する部分を地代家賃などで処理します。

家賃は床面積を基準として合理的に算定した割合を按分して事業分の経費に割り当てる。

明確に区分できない経費の計上方法

　事業使用割合には合理的な算定根拠が必要です。とはいっても、すべてを明確に区分できるわけではありません。このような支出を経費計上するためには**説明資料を作成しておきましょう**。

　「合理的」とは、区分するための根拠を説明できる状態です。したがって、「何となく」や「経験上」などではない資料を作成し、保管することが重要なのです。

4 章

多桁式現金出納帳で
簡単記帳

① 多桁式現金出納帳とは？

取引数が少ないのですが、簡単につけられる帳簿はありませんか？

カメラマン
Jさん

だったら多桁式出納帳がオススメ！家計簿を作る感覚で簡単に記帳できますよ！

多桁式現金出納帳はこんなに便利！

◎**多桁式現金出納帳**は家計簿や小遣い帳をつける感覚で記帳できる帳簿です。
◎一覧性があるので、現金売上や経費を常に把握できます。

簡単に記帳と集計ができる多桁式現金出納帳

事業規模が小さく取引数が少ない、また現金での取引が中心であれば、この章で紹介する**多桁式現金出納帳**の利用を考えてみましょう。

多桁式現金出納帳

❶ 月日	❷ 摘要	❸ 入金	❹ 出金	❺ 残高	❻ 入金の内訳	
					事業主借	売上

❶月日：現金の入出金のあった日を記入
❷摘要：入出金の内容をわかりやすく記入。例えば「Ａ事務機器販売㈱より事務機購入」
❸入金：入金された金額を記入
❹出金：出金した金額を記入

多桁式現金出納帳とは、通常の現金出納帳に経費帳としての機能も付加したものです。専門的な簿記の知識がなくても、家計簿や小遣い帳を作る感覚で簡単に記帳でき、一覧性があるので売上や経費を常に把握できます。また、Excelのような表計算ソフトで作れば、面倒な残高や合計の計算を行う必要がなくなりますし、一度作ってしまえば、翌期以降もずっと使えます。

ちょっと補足
経費帳とは？
取引で発生する費用（例えば、地代家賃、税金、通信費、交通費、消耗品費など）を記入する帳簿のことです。

多桁式現金出納帳のフォーム

多桁式現金出納帳のフォームは下の通りです。入・出金欄を科目に区分する目的は青色申告決算書を作成することにあるので、科目をあまり作りすぎないほうがよいです。青色申告決算書の損益計算書に掲載されている勘定科目（129ページ）を参考に、**10科目程度の欄**を作成しておきましょう。

科目の区分がきちんとできるか心配される方が多いのですが、あまり神経質になる必要はありません。個人事業を営むうえではいろいろな支出が生じますが、**少額で頻度の少ない支出は雑費に区分**しても差し支えありません。

❼

出金の内訳							
事業主貸	仕入	水道光熱費	旅費交通費	通信費	接待交際費	消耗品費	雑費

❺残高：現金の残高を記入。前日の残高に入金額を足し、出金額を差し引くと当日の残高になる
❻入金の内訳：入金の内訳を記入
❼出金の内訳：出金の内訳を記入

② 多桁式現金出納帳に記入してみよう

自宅で仕事をしていますが、家賃や水道光熱費の事業用分を多桁式現金出納帳で記帳することはできますか？

フリープログラマー
Hさん

できますよ！
125ページで解説した事業主貸を使って記入します。記入欄があらかじめ設けてあるんですよ。

多桁式現金出納帳は
表計算ソフトで作成しよう！

◎ Excelなど表計算ソフトでフォーマットを作っておけば、毎年同じものを使い続けられるし、集計がラク。しかも計算ミスが少なくなります。

多桁式現金出納帳への記入例

入金 があったら、ここに記入する。

日付		摘要	入金	出金	残高	入金の内訳	
						事業主借	売上
3	1	個人より現金受け入れ	200,000		200,000	200,000	
3	6	A商事訪問のための交通費		5,800	194,200		
3	10	B文具店ノート、請求書購入		3,600	190,600		
3	15	携帯電話料金支払い		15,800	174,800		
3	20	C商店より商品仕入れ		150,000	24,800		
3	21	電気料金支払い（事業割合40%）		8,000	16,800		
3	25	Dスナックで得意先接待		12,000	4,800		
3	28	A商事へ売上げ	350,000		354,800		350,000
3	28	E商事訪問のための交通費		6,400	348,400		
3	31	生活費支払い		100,000	248,400		
			550,000	301,600		200,000	350,000

最終行は合計額を記入する欄に。

個人のお金からビジネス用金庫に移動したらここに記入。

記帳の練習をしてみよう

　それでは、小規模な個人事業主の方でよく発生する取引を10件ほどピックアップしましたので、記帳の練習をしてみましょう。

●この取引で記帳の練習をしてみよう

> 3月1日　個人のお金20万円を事業に使用することにし、手提げ金庫に入れた。
> 3月6日　営業のために得意先のA商事を訪問し、交通費が5,800円かかった。
> 3月10日　B文具店でノートや請求書を購入し、3,600円支払った。
> 3月15日　仕事で使っている携帯電話の料金15,800円を支払った。
> 3月20日　C商店より15万円の商品を仕入れた、代金は現金で支払った。
> 3月21日　電気代8,000円を支払ったが、仕事に使っているのは40%だった。
> 3月25日　Dスナックで得意先を接待し、料金は12,000円だった。
> 3月28日　商品をA商事に35万円で販売し、現金で受け取った。
> 3月28日　営業のため得意先のE商事を訪問し、交通費が6,400円かかった。
> 3月31日　生活費に充当するため、手提げ金庫から10万円を支出した。

> 出金 があったら、ここに記入する。

			出金の内訳				
事業主貸	仕入	水道光熱費	旅費交通費	通信費	接待交際費	消耗品費	雑費
			5,800				
						3,600	
				15,800			
	150,000						
4,800		3,200					
					12,000		
			6,400				
100,000							
104,800	150,000	3,200	12,200	15,800	12,000	3,600	0

> ビジネス用金庫のお金を個人のお金に移動したらここに記入。

事業主借・事業主貸・費用の按分　記入方法

記入に際して注意が必要な3月1・21・31日の取引について説明します。

 帳簿に記入してみよう！

> 3月 1日　個人のお金20万円を事業に使用することにし、手提げ金庫に入れた。
> 3月31日　生活費に充当するため、手提げ金庫から10万円を支出した。

ビジネスとプライベート、それぞれにかかる金額を明確に区分しておく必要があります。そのためには**ビジネスのお金を区分し、手提げ金庫に入れておく**とよいでしょう。手提げ金庫のお金はビジネスの出入りだけとし、その出入りを記録するのが「現金出納帳」です。

プライベートのお金を、ビジネスに移動したケースが3月1日の取引です。「**個人事業主がお金を借りた**」というように考えられるので、**事業主借**という勘定科目欄に記入します。

日付		摘要	入金	出金	残高	入金の内訳		
						事業主借	売上	事業主貸
3	1	個人より現金受け入れ	200,000			200,000		

入金したらここに記入。　　　事業主が借りたからここに記入。

一方、3月31日の取引は逆のケースです。ビジネスのお金をプライベートに移動した取引です。「**個人事業主がお金を貸した**」というように考えられるので、**事業主貸**という勘定科目欄に記入します。

日付		摘要	入金	出金	残高	入金の内訳		
						事業主借	売上	事業主貸
3	31	生活費支払い		100,000				100,000

出金したらここに記入。　　　事業主が貸したからここに記入。

帳簿に記入してみよう！

> 3月21日　電気代8,000円を支払ったが、仕事に使っているのは40％だった。

　自宅で仕事を行うようなケースでは、個人と仕事の両方に関連する支出が発生することがあります。例えば、自宅の電気料金です。電気は個人の生活で使用していますし、仕事のためにも使用しています。137ページで説明したように、適切な割合で個人と仕事に金額を按分することになります。

　このケースでは仕事に使っているのは40％とありますので、次のように区分されます。**事業負担分は水道光熱費欄に記入**しますが、**個人負担分は「個人に貸した」という意味合いから事業主貸欄に記入**します。

　　　仕事　　　8,000円×0.4＝3,200円　➡　水道光熱費

　　　個人　　　8,000円×0.6＝4,800円　➡　事業主貸

日付	摘要	入金	出金	残高	入金の内訳		出金の内訳				
					事業主借	売上	事業主貸	仕入	水道光熱費	旅費交通費	通信費
3 / 21	電気料金支払い（事業割合40％）		8,000	16,800			4,800		3,200		
3 / 25	Dスナックで得意先接待		12,000	4,800							

　　支払った水道光熱費全額を記入する。　　　個人で負担した分は「事業主貸」に。　　　仕事で使った分は「水道光熱費」に。

　なお、多桁式現金出納帳のみを作成している場合は、青色申告特別控除（10万円）の適用を受けることができます。多桁式現金出納帳を作成し、貸借対照表の添付など他の要件をクリアすれば55万円控除が可能となります。

飲食業・小売業の場合

売上と原価の最適バランスを見極める

　ビジネスの最大の目的は儲けです。儲けを出すためには、

①売上を増やし利益を出す仕掛け作り

②これを管理するしくみ作り

　この2点をしっかり行うことが大切です。そして、この売上を生み出す元となる原価の管理、人件費や家賃その他の営業経費の管理も必要です。飲食店で儲けに走ったために食材の質を落とし味も落ちて来客数が激減した……、というのでは話になりません。売上、原価の最適バランスを知る必要があります。

　月次決算で1か月ごとに集計をして儲かっているのか、赤字なのかを把握することに加えて、売上と原価の最適バランスを帳簿に載っている情報をもとに判断しましょう。

　さらに、不良在庫、過剰発注、消費期限切れ、ロスなどの在庫の状況を把握することも大切です。中小の飲食店や小売店で毎月末に棚卸を実行しているお店はどれくらいあるでしょうか？　正確な在庫把握から正確な粗利が計算されます。発注ミスやロスを抑えるなどの工夫も必要です。

　在庫管理は、実際に試算表などの数値には表れにくく、管理が難しいところでもあります。**原価率（売上に対する原価の割合）が大きく変動したときは、「変動した理由がどこにあるのか（売上の増減？　原価の増減？）」、「その変動が粗利にどう影響を与えたか？」などを分析してみましょう。それが売上と原価の最適なバランスを見つけ出すヒントになるのです。**

5 章

会計ソフトで
ラクラク帳簿作り

① 会計ソフトの選び方

会計ソフトの導入を考えています。何を用意すればいいでしょうか？

美容院経営
Aさん

会計ソフトが問題なく動作するパソコンを用意しましょう。スペックが低いものは避けたほうが無難です

**会計ソフトは
こう選ぼう！**

◎動作環境の確認は必ず行いましょう。低いスペックのパソコンだと動作上の問題が発生する可能性があります。
◎簿記の知識がなくても入力できる安価なソフトがいろいろ販売されています。迷ったら会計ソフト導入支援に積極的な会計事務所に相談してみましょう。

会計ソフトの使い方と選び方

　領収証や預金通帳を見ながら、マウスとキーボードで必要項目を入力すれば、簡単に帳簿が作成できます。今や会計ソフトは帳簿作成や決算には欠かせないツールです。なかには、スキャナーやスマートフォンの画像データ、インターネットバンキング、クレジットカード利用明細のデータ等をインポートすることにより、キーボードからの入力作業が不要になるという会計ソフトもあります。

　どのように利用するかも重要な判断材料ですので、あなたのビジネスのスタイルに合った会計ソフトを選びましょう。

　会計ソフトを選ぶ際には、**動作環境の確認**は必須です。スペックの低いパソコンでは処理速度の問題が発生する可能性があります。日常業務で使用するパソコンと会計ソフトをインストールするパソコンは別にすることも検討しましょう。また、使用するパソコンや会計ソフトのグレードや機能をよく検討し、**利用目的と会計ソフトができること**（出力できる帳票の種類や経営管理情報の出力など）**が合っていることを必ず確認してください。**

個人事業におすすめの会計ソフト

パソコンにインストールする **PC インストール型会計ソフト**と、インターネット経由で会計ソフトの機能を利用する**クラウド会計ソフト**があります

PCインストール型会計ソフト	クラウド会計ソフト
メリット ●インターネットに接続していなくても作業ができる。 ●複雑な処理ができるタイプが多い。 ●ランニングコストがかからない。	**メリット** ●最新のソフトをいつも利用できる。 ●クラウドサーバーにデータが保管されるので、管理がラク。 ●マルチデバイスに対応。
デメリット ●使用できるデバイスが限られる。 ●時々ソフトをアップデートする必要がある。	**デメリット** ●月額使用料などのランニングコストがかかる。 ●複雑な処理ができないことがある。
代表的なソフト • JDL IBEX 出納帳Major • JDL IBEX 出納帳net • やよいの青色申告 • みんなの青色申告	**代表的なソフト** • やよいの青色申告オンライン • freee • マネーフォワードクラウド会計 • PCAクラウド会計

＊クラウドの一形態である「Saas（サース）」は、デバイスやパソコンにソフトウェアをインストール必要がなく、インターネットの環境があれば、複数人で同じデータを利用できる。

会計ソフトを導入すると…

現金の領収証は、スキャナーやスマホでデータ登録、預金や売上データは、同期処理や CSV 形式のインポートで入力できます

	すべて手作業	会計ソフトに入力	データ連携
仕訳帳	手書	入力作業が必要	同期処理＊
総勘定元帳作成	転記（手作業）	転記不要	転記不要
試算表作成	転記（手作業）	転記不要	転記不要
決算書作成	転記（手作業）	転記不要	転記不要
処理時間	長	短	短　楽
ミスの発生リスク	高	中	低

＊インポートや同期処理でも完璧に処理するのは難しいので、確認と修正作業は必要となる。インポートする前のデータで確認、修正を実施するケースとインポート後の会計ソフト側で確認、修正するケースがある。連携するデータの日付設定等の確認を怠ると、取り込み漏れや二重取り込みなどのミスが発生することがあるので、設定等に関しては慎重に行う必要がある。

② 会計ソフトに入力する前の準備

雑貨店経営
Eさん

会計ソフトを導入しましたが、処理の時間がなかなかつくれません。どうしたらいいですか？

経理作業にかかる時間を短縮し、省力化しましょう。いまの会計ソフトなら自分にあったやり方をきっと見つけられますよ。

会計ソフト入力前に
これだけは用意しよう！

◎会計ソフトへの入力をスムーズにできる環境を整えるために、預金通帳や領収証、証ひょう類をきちんと整理・保管しておきましょう。
◎会計ソフトのどんな機能を使えば作業を省力化できるか、あらかじめ調べておきましょう。会計ソフトを選ぶポイントにもなります。

会計ソフトに入力するには

会計ソフトへの入力に必要なものは次のとおりです。

❶パソコン　❷会計ソフト　❸預金通帳　❹経費の領収証
❺その他の証ひょう(請求書、契約書等)　❻落ち着いて作業するための時間

①～⑤は当たり前ですが、⑥がなかなか曲者です。集中して作業できればそれほど時間はかからないものですが、電話やメール、来客の対応などや、急ぎの依頼が入ったりして、中断を余儀なくされることも考えられます。時間の確保も経理作業には重要な要素となります。

経理作業にかかる時間を短縮し、省力化するには、スキャナーやスマートフォンの画像データ、インターネットバンキング、クレジットカード利用明細のデータ等をインポートする方法が良いでしょう。このような処理に対応した各種の会計ソフトがリリースされていますので、導入時に比較検討して決定しましょう。

フリーランスの入力スケジュール

移動中の空き時間に
スマホで領収証を撮影

月末にオフィスで
経理作業タイム

●交通費や交際費の領収証の写真を会計ソフトにアップロード。

●移動時間の有効活用で経費入力作業も軽減できる。

●スマホで処理していない領収証、預金通帳の入出金を入力（156ページ）。売上や仕入の入力も省力化を検討。

店舗系の業種は日々の売上を入力

❶現金をカウントして金種表とチェック。

❷日報の現金売上と「金種表の現金残高－開店時の釣り銭＝現金売上」を突合する。

❸日報と会計ソフトの同期処理もしくは手入力で処理。

③ 現金の入力

現金売上、現金仕入、小口経費の管理が煩雑なんですが……。何かいい方法はありませんか？

飲食店経営
Iさん

現金出納帳のほかに小口現金出納帳を用意したらどうですか？

現金取引の入力は領収証が必要！

◎現金の入金と出金があった場合の入力には、領収証が必要です。領収証の発行されない支払の場合には、出金伝票や交通費精算書などが必要です。
◎飲食店など現金売上がある場合には、経費処理と分けるために、経費支払専用の小口現金出納帳を使用することもあります。

領収証の入力を日常化する

　個人事業の場合、現金と預金の流れを記録することで、ほとんどの会計処理が終了します。勘定科目を自分で選ぶ作業が必要になることもありますから、もし迷ったら3章および巻末のさくいんで確認しましょう。

　現金の出金があった場合の入力は、**領収証（レシート）を見ながら日常的に行うのが基本です**。現金売上が多い場合は毎日、少ない場合は1週間に1度など定期的に行います（現金売上の入力は158ページを参照）。

　領収証を用意し、「取引のあった月日」「摘要」「相手科目」「入金額（出金額）」を入力します。個人事業者にとってはいちばん面倒な作業で、「領収証がたまったら着手する」という方もいますが、時間が経てば経つほど取引の記憶が薄れていきます。

　領収証をスキャンしてパソコンに取り込んだり、または、スマートフォンで撮影してクラウド会計ソフトにアップロードしたりすることで、自動的に仕訳をしてくれる会計ソフトを利用することで、作業の軽減化を図りましょう。

日常的に発生する経費を小口現金出納帳で管理することも

現金売上が多い場合、日常的に発生する小口の経費を「現金」の勘定科目とは別に、「小口現金」という勘定科目を設けて別枠で管理することもできます。**小口現金用の金庫を用意し、月末に集計を行って使用した分と同額を金庫に補充する**といった方法が一般的です。

小口現金の会計ソフトへの入力は、都度行うこともできますが、取引件数も少なく、金額も小さいのであれば、月に1回、1か月分をまとめて入力するほうが効率的でしょう。

領収証からの入力はこうすれば簡単

レシートスキャナーを使って領収証をスキャンし、パソコンの会計ソフトに取り込む。

すき間時間を使って領収証をスマートフォンで撮影、クラウド会計ソフトにアップロードする。

仕事のものとプライベートのものは領収証を分けてもらうようにしましょう。
両者が載っている領収証の処理は煩雑です

簡単経理のツボ！
5-01

小口の経費は「現金」とは別に、「小口現金」という勘定科目を設けて別枠で管理できる。

④ 預金通帳からの入力
（よきん）

フリーライター
Dさん

複数の会社から原稿料が振込で入金されることが多いのですが、どう管理したらいいですか？

振込での入金が多いのなら入金管理専用口座を作成してはどうですか？売掛金が管理しやすくなりますよ。

預金通帳を見ながら入力します

◎事業用の預金通帳を見ながら入力します。領収証を見ながら現金取引の入力をした方法と基本的には同じです。
◎預金口座から手元現金に、また預金口座間で資金を移動した場合は**二重入力**に注意しましょう。

預金通帳を見ながら入力

　預金出納帳を入力する際は、**預金通帳を手元に用意**します。入力のしかたは基本的に現金の場合と同じです。**預金通帳の場合は入金欄と出金欄が左右逆になっている**ので、入力ミスがないように注意しましょう。

　金融機関のATMでの記帳はこまめに行い、記帳したら取引内容を余白に記録する習慣をつけましょう。会計ソフトへの入力が効率的かつ正確になります。

預金出納帳　こんな場合どうする？

銀行口座が複数ある場合は？ ➡ 銀行口座が複数ある場合には、それぞれの口座の銀行、支店名、預金種類、口座番号を登録してから入力を開始します。**複数の銀行口座はそれぞれ別のお財布**と考えてください。このため、銀行預金間で資金移動をしたとき、例えば、**A銀行の普通預金からB銀行の普通預金に振り替えた場合、どちらの通帳にも記載がありますが、入力は1回しかしませ**

ん。A銀行の普通預金を先に入力している場合には、B銀行の普通預金への入金がすでに入力されているので、二重に入力しないように注意しましょう。

預金から引き出して手元現金とした場合は？ ➡ **現金取引として先に入力している場合には、普通預金での出金はすでに入力されています。**二重に入力しないように注意しましょう。

💻 Web口座やインターネットバンキングの場合は？

通帳を持たないWeb口座やインターネットバンキングの場合は、会計ソフトに同期処理やインポートなどのデータ連携機能があるかを確認しましょう。

連携機能がある場合は、会計ソフトでのデータ取り込みの設定をすれば、同期処理から帳簿作成まで自動的にやってくれます。

自動での同期処理に対応していない場合でも、預金通帳のデータを会計ソフトに取り込めるデータ形式（csvデータ等）で取得し、それを会計ソフトにインポートする設定をしておけば、入力の手間を省けます。

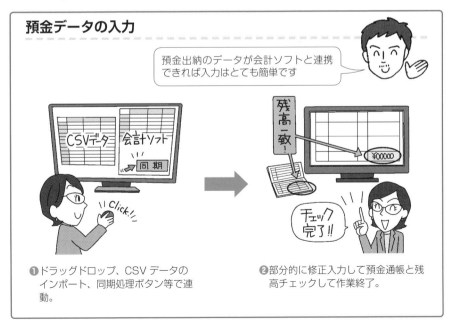

預金データの入力

預金出納のデータが会計ソフトと連携できれば入力はとても簡単です

❶ドラッグドロップ、CSVデータのインポート、同期処理ボタン等で連動。

❷部分的に修正入力して預金通帳と残高チェックして作業終了。

⑤ 売上の入力

カメラマン
Jさん

月毎の売上が把握できればいいのですが、その場合、いつ売上を計上すればいいのですか？

本来は納品日に売上を計上しますが、請求書の発行日で計上しても問題ありませんよ。

売掛金の入力は売上の計上時期がカギ！

◎日々の取引で売上代金を受け取らない場合は**売掛帳**で管理します。
◎月ごとの売上金額を把握したいのなら、請求書発行日に売上計上してもかまいません。

売掛金の入力は売上の計上時期に注意

現金売上がある業種（飲食店、小売店、理美容店など）は？ ➡ 日々の売上を入力する必要があります。本日の現金売上としてレジの金額残高を金種表（98ページ）などで確認した後に売上の入力をします。レジは現金売上専用にして、経費などの現金の出金は小口現金で処理したほうが管理しやすいでしょう（102、155ページ）。

クレジットカードによる売上は？ ➡ <u>売掛金として売掛帳に入力</u>します。カード売上代金の入金は、毎月1〜15日分が当月末、16日〜末日分が翌月15日という契約が多かったのですが、最近は翌日入金されたり、最短で5日で入金されたりというように多様化しています。入金時には手数料などが控除されていますので、明細書などで確認の上、支払手数料や雑費などとして処理します（詳細は136ページ参照）。カード手数料は消費税非課税取引です。

現金売上がない業種は？ ➡ デザイナーやフリーライター、カメラマンなどの場合は、サービスの完了、納品、検収などで売上が確定します。このような

業種で月ごとの売上を把握したい場合は、**請求書の発行日で売上計上**しても問題ありません。ただし、12月の納品分に関しては注意が必要です（168ページ参照）。

　売上金額から振込手数料や事務手数料が差し引かれて振り込みされている場合は、その手数料を費用として入力し、売上は手数料を引く前の金額で入力します。

取引の回数、得意先の件数が少ない場合は？ ➡ 取引や得意先の件数が少ない場合には、**期中は入金されたときに入金額を売上計上**する方法でもかまいません（現金主義による入力。110ページ参照）。この場合には売掛帳への入力の必要はありません。ただし、期末（12月）に翌年の1月以降に入金される本年中の売上を売掛帳に入力しなければなりません（168ページ参照）。

　なお、この場合は、月ごとの試算表を作成しても、正確な月次損益を把握することはできません。あくまでも概算の参考資料として使用することになります。

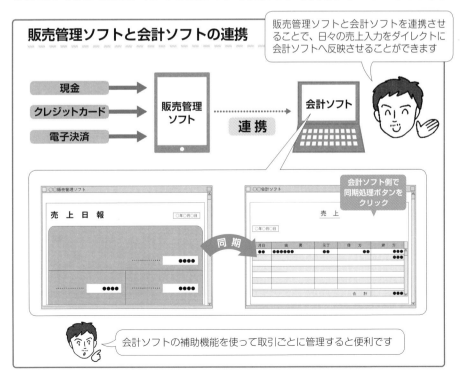

⑥ 仕入の入力

仕入先がいくつかあるのですが、どのように処理したらよいですか？

飲食店経営
Iさん

会計ソフトで仕入先ごとに買掛金の管理をしましょう。最初に設定すれば、管理は簡単です。

現金仕入がある・なしで管理のしかたが異なる

◎現金仕入がある業種は、日々の仕入の入力が基本。小口の仕入は小口現金で処理をします。
◎現金仕入がない業種は、請求書の発行日で計上してもかまいません。

🖩 仕入の計上時期

現金仕入がある業種（飲食店など）は？ ➡ 日々の仕入を入力する必要があります。

一般的に飲食店、商品販売、理美容などの仕入は、特定の仕入先に発注して納品を受け、月末で締めて翌月末に支払うなどの取引形態が採用されています。この場合の仕入の入力には買掛帳を使用します。

仕入先が複数あり、各仕入先の買掛金残高も確認したい場合には、得意先元帳（補助元帳）のように仕入先を設定、登録して入力することになります（123ページ）。

小口の仕入が発生する場合は、小口現金出納帳で現金仕入の入力をします（155ページ）。

また、業務用専門店等の仕入れに際し、専用のクレジットカードで支払いをするケースもあります。この場合も、買掛金として買掛帳に入力します。

ただし、このクレジットカードを他の店舗で利用する、別の経費の支払いに

使用するなどの場合には、買掛金ではなく未払金で管理することもあります。通常の買掛金の支払期日とクレジットカードの締日支払日は、ずれることが多いので、**支払の期日管理（資金繰りともいいます）**上は、未払金処理のほうがよいかもしれません。個別事情に合わせて設定を変更しましょう。

現金仕入がない業種は？ ➡ デザイナーやフリーライター、カメラマンなどの場合は、サービスの完了、納品、検収などで仕入や外注費が確定します。このような業種で月ごとの仕入、外注費を把握したい場合は、請求書の発行日で仕入計上しても問題ありません。ただし、12月の納品分に関しては注意が必要です（170ページ参照）。

取引の回数、仕入先の件数が少ない場合は？ ➡ 取引や仕入先の件数が少ない場合には、期中は支払ったときに仕入に計上する方法でもかまいません（現金主義による入力。110ページ参照）。

　この場合には買掛帳への入力の必要はありません。ただし、期末（12月）に翌年の1月以降に支払われる本年中の仕入を買掛帳に入力しなければなりません（170ページ参照）。

飲食店の買掛金　いつ会計ソフトに入力する？

　飲食店における買掛仕入は、各種食材、酒類、ソフトドリンク、乳製品、氷やおしぼり、食器やナプキンなど、たくさんの仕入先が存在します。電話注文や、FAX、インターネットでの注文など発注方法も納期もさまざまです。この掛仕入は一般に複写式の納品書、物品受領書で確認が行われます。店舗や倉庫に注文品が納品された場合、発注内容と納品された商品に相違がないことを確認して、物品受領書にサインまたは押印して返却します。

　買掛金（仕入）の計上時期は、納品されたときです。よって、納品書から買掛帳に入力することが原則となります。

　仕入先の登録数が多いケースでは、仕入先ごとに納品書の形式もまちまちで、手書きの納品書もあれば様式もサイズも異なるため、「スキャンして登録」が

難しいのです。

　このような理由から小規模の飲食店等における納品書管理については、次のようなことも行われています。できる限り会計ソフトの入力負担を減らすためには有効な方法といえます。

飲食店での納品書管理と会計ソフトへの入力

❶納品時の注文内容との突合と単価、数量の確認を徹底する。

❷各納品書に記載された仕入金額を表計算ソフト等で作成した納品管理表などの一覧表で管理する。

❸1か月の合計金額で会計ソフトに買掛金を入力する。

＊表計算ソフトの納品管理表などの帳表を補助簿として使用する。

▼納品実績管理表

日付	田中精肉店	鈴木酒店	サトウ牛乳	長谷川商店	市川食品販売	高橋食品
1月1日						
1月2日						
1月3日						
1月29日						
1月30日						
1月31日						
小計						
消費税						
合計						

表計算ソフトで作成した納品実績管理表を補助簿として使用し、税込の合計額を買掛帳に入力すれば仕入件数分だけの入力で済みます

特定の仕入先の、特定の商品だけを抽出して、管理したい場合には、別途管理表等を作成して管理する。

仕入管理をきわめて利益を追求する

飲食店では販売予測に基づいた発注（仕入）の管理が重要です。そのためには、次のような情報が必要です。

❶**過去のデータ分析と天候**　➡気温、湿度、晴曇雨、台風や降雪情報
❷**カレンダー**　➡平日と休日（週末、祝日など）のバランス、連休前後、連休中、給料日前後、ボーナス支給日前後、年末年始、人事異動の時期など

これらを基礎とした来客人数予測、平均客単価×来店予測人数など各種の情報からの近未来予測も踏まえて、綿密な発注を行うことで材料不足による機会損失の回避、過剰発注による在庫リスクの軽減、賞味期限切れによるロスカット等を実現することが可能となるのです。

分析に使用する過去のデータについては、販売管理ソフトを利用してオーダーエントリーシステムを採用していれば、昨年の同月同日に同じメニューが何皿出たのかという細分化されたデータまで記録されているので、参考にできます。

鮮度の気にならない食材であれば、まとめて発注することで、割引を受けることも可能です。逆に鮮度が命という食材の場合は、ロスが出ないように発注数量管理を織り込むことも考えましょう。

仕入単価の変動による原価の変動も気になります。同じ食材の前年同月の単価比較は仕入価格交渉の材料になります。魚介類などの場合は漁獲量による単価変動が著しいので、原価率、利益率を考慮しての値付け（販売価格の設定）、仕入数量の決定も重要です。

消費期限が短いものについては、メニュー構成を工夫する、本日のイチオシおすすめメニューなどの特別感のアピール、ホールスタッフのセールストークなどの営業サイドでの努力、工夫も必要でしょう。

仕入れたものを全部売り切る想定で、市場に向かう心構えの一つとして、販売計画、予算を見積もってみることも検討してみましょう。

Column ▶▶▶▶▶▶▶▶▶▶▶▶▶▶▶▶▶▶▶▶▶▶▶▶▶▶▶▶▶▶▶▶▶▶▶▶▶▶▶

仕入や経費のクレジットカード払い

●利用履歴データを会計ソフトに同期させれば経費管理はラクになる

　仕事専用のクレジットカードを作成して、利用履歴を活用すれば経費管理の効率も上がります。csvなどの形式で利用履歴をダウンロードして、会計ソフトでインポートします。一般的に日付、支払先、金額などは連動できますが、**勘定科目については個別に入力します。**

●経費の支払いは「未払金」、仕入の支払いは「買掛金」で処理

　会計ソフトへの入力は、現金支払いの領収証からの入力と同じ手順で行いますが、**経費の支払いは「未払金」、仕入の支払いは「買掛金」で処理します。**日々の利用時に入力する場合には、後日、クレジットカード会社から発行される利用明細で確認をしましょう。

 仕事用のクレジットカードを使っての経費や仕入の支払い

① 6/2　得意先の接待で飲食費 8,000 円を支払い（「未払金」で処理）
② 6/15　取引先への仕入代金 30,000 円を支払い（「買掛金」で処理）

⬇

③ 7/10 仕事用の普通預金口座から①②が引き落とされた。

① 6/2	（借方）接待交際費	8,000	（貸方）未　払　金	8,000
② 6/15	（借方）仕　　　入	30,000	（貸方）買　掛　金	30,000
③ 7/10	（借方）未　払　金	8,000	（貸方）普 通 預 金	38,000
③ 7/10	買　掛　金	30,000		

　なお、クレジットカード利用時の領収証も現金で支払って受け取った領収証と同様に保管が必要です。現金払いの領収証とは別建てで管理しましょう。

164

6　章

決算の手続きと
青色申告決算書の作り方

決算で1年間の経営成績と財政状態を知る

カメラマン
Jさん

青色申告の納税期限
は3月15日ですよ
ね？ 毎月きちんと
帳簿づけしています
から、3月に入って
から準備すれば間に
合いますか？

いや、日々つけて
きた帳簿に決算整
理という修正を加
えなければなりま
せんから、早めに
始めましょう。

**決算整理は
必ず実施します**

◎**決算**は、決算書（損益計算書と貸借対照表）を作成する作業のことです。
◎日々つけてきた帳簿に**決算整理**という修正を加える作業が必要になります。

☕ 1年間の経営活動をまとめる作業

　決算とは、1年間にどのくらい利益が出たか、そして12月31日の時点で資産や負債がどのくらいあるのかを明らかにする手続きです。つまり、損益計算書と貸借対照表を作成する手続きのことです。

　毎日記帳を続けて月末で集計すると、その月の利益がわかります。それを12月まで続ければ、**1年間を通じた経営成績と期末の時点での財政状態**を確認できます。集計した数字を青色申告決算書に記入して、**翌年3月15日までに申告と納税**をします。

会計期間と決算の流れ

1月1日		12月31日 決算日	3月15日 申告納税の期限
	会計期間	決算手続き	

— 毎月、月次決算（試算表の作成）を行う —

年末の試算表には修正が必要な項目がある

　2章で仕訳帳や総勘定元帳、試算表の作成方法を解説しましたが、これらは、会計期間中の記録という観点からは正しくても、このままの状態で決算書を作成することはできません。

　例えば、経費の支払いで、当月分を翌月末に支払う約束になっているものがあります。現金出納帳や預金出納帳で**支払日に○○費として計上**しているならば、12月の末日に支払ったものは11月分ですね。つまり、12月分の費用は「支払っていない」ので、「計上されていない」のです。現金（預金）出納帳だけで入力をしている場合には、この未払を追加計上することができます。このように**会計期間終了後に調整を行う作業のことを決算整理**といい、そのときに行われる**調整のための仕訳を決算整理仕訳**といいます。

　このケースの場合には、会計期間中の会計処理がどのように行われているのかを確認することと、その処理について決算整理が必要かを検討することが大切です。

　決算整理には、期中処理の修正に関するもの、商品の棚卸に関するもの、固定資産についての減価償却などがあり、いくつかのグループに分類することができます。次節から、この項目別に解説していきます。

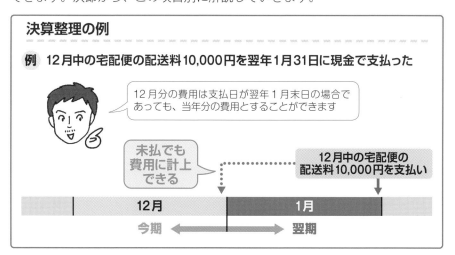

決算整理の例

例 12月中の宅配便の配送料10,000円を翌年1月31日に現金で支払った

12月分の費用は支払日が翌年1月末日の場合であっても、当年分の費用とすることができます

未払でも費用に計上できる

12月中の宅配便の配送料10,000円を支払い

12月	1月

今期　←→　翌期

フリーライター
Dさん

年末に仕上げた原稿を納品しました。原稿料は来年入ってくるのですが、これは本年の売上になりますか？

これは本年の売上になりますよ。納品が完了した時点で売上に計上しますから。

売上の計上時期に注意！

◎本年12月末までに納品したものは本年の売上になります。年末までにその代金が入金されていなくても本年の売上です。
◎納品が済んでいない商品の代金を先に受け取っている場合は本年中の売上ではありません。

年末に納品した商品の代金が翌年1月の入金になる場合

次の取引は現金出納帳や預金出納帳では処理できません。

「本年12月10日に商品を納品して代金10万円の請求書を発行した。翌年1月20日に売上代金が振り込まれた」	**12月10日** 商品を納品 請求書発行	**1月20日** 売上代金が 振り込まれた
	12月	1月

納品した日に請求書を発行して売掛帳に記入している場合（115ページ参照）、すでに売上に計上されているので、決算整理を行う必要はありません。

納品日に売掛帳に記入していない場合の決算整理仕訳

12/31（決算）	（借方）売掛金	100,000	（貸方）売上	100,000

毎月の売上を入金した時点で計上している場合には、年末までに納品し代金回収が翌年になるものについて、前ページの売掛金を計上する仕訳を追加します。

売上を入金時に計上している場合、年末までに納品して代金回収が翌年になる取引について売掛金を計上する仕訳を追加する。

 ## 納品が済んでいない商品の代金を先に受け取っていた場合

現金出納帳で**入金時に売上を計上している場合**には、決算整理仕訳が必要となります。例えば、次の取引を考えてみましょう。

「本年12月10日に商品の注文を受けて先に代金のうち10万円を現金で受け取った。翌年1月20日に商品を納品した」

	12月10日 商品の注文を受け 代金を受け取る	1月20日 商品を 納品
	12月	1月

●12月10日の仕訳

12/10	（借方）現金	100,000	（貸方）売上	100,000

これは、本年の売上にはなりません。商品の納品が行われたときに売上を計上するので、このケースでは翌年1月20日に売上が計上されることになります。年末に次の決算整理仕訳を行います。

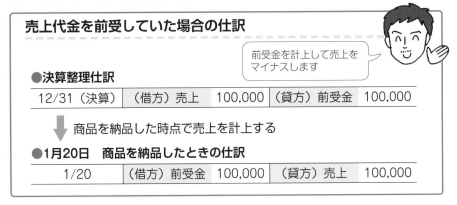

売上代金を前受していた場合の仕訳

前受金を計上して売上をマイナスします

●決算整理仕訳

12/31（決算）	（借方）売上	100,000	（貸方）前受金	100,000

▼ 商品を納品した時点で売上を計上する

●1月20日　商品を納品したときの仕訳

1/20	（借方）前受金	100,000	（貸方）売上	100,000

ネイルサロン経営
Bさん

年末に仕入れた商品の代金を来年1月10日に支払うことになりました。これは本年の仕入になりますか？

これは本年の仕入になります。納品が完了した時点で仕入に計上します。

仕入の計上時期に注意！

◎商品の納品、サービスの提供を受けた時点で買掛金を計上していれば決算整理の必要はありません。
◎納品の済んでいない商品の代金を先に支払っている場合は本年中の仕入ではありません。

年末に納品された商品代金の支払いが翌年1月になる場合

次の取引を考えてみましょう。

「本年12月20日に商品が納品された。翌年1月10日に代金10万円の請求書が届き、1月31日に支払った」	12月20日 商品の納品	1月10日 請求書 受け取り	1月31日 仕入代金 の振り込み
	12月	1月	

商品の納品やサービスの提供を受けた日、あるいは請求書などからすでに買掛帳に記入している場合（121ページ参照）、すでに仕入に計上されているので、決算整理を行う必要はありません。

納品日に買掛帳に記入していない場合の決算整理仕訳

12/31（決算）	（借方）仕入	100,000	（貸方）買掛金	100,000

毎月の仕入を支払った時点で計上している場合には、年末までに納品されて代金支払いが翌年になる取引について前ページの買掛金を計上する仕訳を追加します（年末に売れ残った商品の取り扱いについては175ページ参照）。

 簡単経理のツボ！6-02

仕入を支払い時に計上している場合、年末までに納品されて代金支払いが翌年になる取引について買掛金を計上する仕訳を追加する。

年末に残っている前払金の決算整理

現金出納帳で**支払い時に仕入を計上している場合**には、決算整理仕訳が必要となります。例えば、次の取引を考えてみましょう。

「本年12月20日に仕入商品を注文して先に代金10万円を現金で支払った。翌年1月10日に商品が納品された」

12月20日 仕入商品を注文 代金支払い	1月10日 商品の納品
12月	1月

●12月20日の仕訳

12/20	（借方）仕入	100,000	（貸方）現金	100,000

これは、本年の仕入にはなりません。商品の納品やサービスの提供を受けたときに仕入に計上するので、このケースでは翌年1月10日に仕入に計上することになります。年末に次の決算整理仕訳を行います。

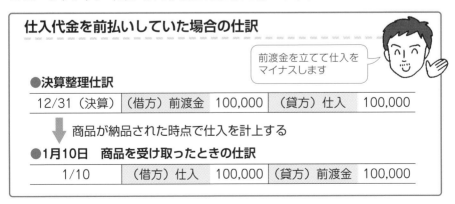

仕入代金を前払いしていた場合の仕訳

前渡金を立てて仕入をマイナスします

●決算整理仕訳

12/31（決算）	（借方）前渡金	100,000	（貸方）仕入	100,000

↓ 商品が納品された時点で仕入を計上する

●1月10日　商品を受け取ったときの仕訳

1/10	（借方）仕入	100,000	（貸方）前渡金	100,000

④ 決算整理③　諸経費の決算整理

アートディレクター
Fさん

12月分のバイク便の使用料を翌年の1月に支払うのですが、この経費はいつ計上すればいいですか？

これは本年の経費になります。
未払金に計上しましょう。

諸経費の計上と
決算整理

◎経費のうち、翌年以降の期間に対応するものは前払費用という勘定科目を使ってマイナスします。
◎未払いの経費は、**未払金**という勘定科目で本年の経費に計上します。

前払いした家賃の処理のしかた

　事務所や店舗などの家賃は、地代家賃や賃借料などの勘定科目で処理します。通常の賃貸借契約の場合は、前家賃（**翌月分を当月に支払う**）が一般的です。

　つまり当年12月に支払った家賃は翌年の1月分であり、現金出納帳や預金出納帳に地代家賃として計上している場合には、決算整理が必要となります（次ページ参照）。

　ただし、これには所得税法上の特例があります。**次の①と②の条件を満たせば、12月に支払い済みの翌年1月分の家賃を本年分の経費にすることができます（174ページ上図参照）。**

①支払った日から1年以内に役務の提供を受ける前払費用であること

　具体的には、地代家賃、損害保険料、借入金利息、リース料などが該当します。

②翌年以降も継続して同様の処理を行うこと

　利益が多めに出てしまっているときには費用を前倒しで経費に計上できるので、上手に節税しましょう。

前家賃の原則的な処理

例 契約開始　20X1年9月1日
20X1年12月28日に20X2年1月分の事務所家賃100,000円を支払い

●預金出納帳の記入例

月	日	勘定科目	摘　　要	入　金	出　金	残　高
		（記載省略）				500,000
12	28	賃借料	○○不動産　20X2年　1月分		100,000	400,000

●総勘定元帳（20X1年分）

地　代　家　賃

月	日	勘定科目	摘　　要	借　方	貸　方	残　高
8	25	普通預金	○○不動産　　　　9月分	100,000		100,000
9	28	普通預金	○○不動産　　　10月分	100,000		200,000
10	28	普通預金	○○不動産　　　11月分	100,000		300,000
11	28	普通預金	○○不動産　　　12月分	100,000		400,000
12	28	普通預金	○○不動産　20X2年　1月分	100,000		500,000

決算整理仕訳

12/31（決算）（借方）前払費用　100,000　（貸方）地代家賃　100,000

簿記上の原則的な取り扱いでは、20X1年分の家賃は9月〜12月分の4か月分となるため、12月に支払った家賃を賃借料から前払費用に振り替える必要があります

●総勘定元帳（20X1年分）

地　代　家　賃

月	日	勘定科目	摘　　要	借　方	貸　方	残　高
12	28	普通預金	○○不動産　20X2年　1月分	100,000		500,000
12	31	前払費用	○○不動産　20X2年　1月分		100,000	400,000

所得税法の特例の処理は 174 ページ参照

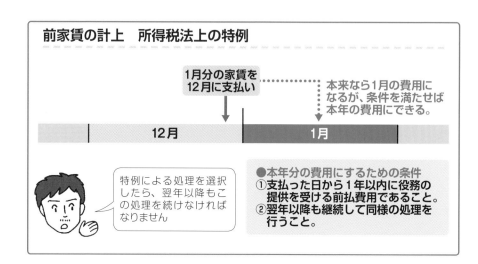

前家賃の計上 所得税法上の特例

1月分の家賃を
12月に支払い

本来なら1月の費用に
なるが、条件を満たせば
本年の費用にできる。

12月	1月

特例による処理を選択
したら、翌年以降もこ
の処理を続けなければ
なりません

●本年分の費用にするための条件
①支払った日から1年以内に役務の
　提供を受ける前払費用であること。
②翌年以降も継続して同様の処理を
　行うこと。

 ## まだ支払っていない経費をどう処理するか

　宅配便の配送料など、その月の使用料を翌月以降に後払いすることがあります。通常は支払ったときに荷造運賃など該当する勘定科目で処理しますが、**本年中に未払いの金額のうち、本年の費用になるものを未払金**という勘定科目を使って決算整理をします。

未払金を計上する決算整理仕訳

例 12月中の宅配便の配送料 10,000 円を翌年の 1 月 10 日に現金で支払った。

●**決算時の仕訳**

12/31（決算）	（借方）荷造運賃	10,000	（貸方）未払金	10,000

↓

●**1月10日の仕訳**

1/10	（借方）未払金	10,000	（貸方）現金	10,000

簡単
経理の
ツボ！
6-03

未払金は決算整理で計上する。

年末の時点で未販売商品の在庫があるのですが、これはどのように処理したらいいのですか？

雑貨店経営
Eさん

実地棚卸をして数量と金額を確認しましょう。

期末に
在庫数を確認！

◎ 12月31日に在庫数を確認して本年の売上に対応する仕入（**売上原価**）を計算する必要があります。
◎在庫の数量を数えることを**実地棚卸**といいます。

☕ 年末に売れていない商品等の取り扱い

　小売業では、毎年12月になるとクリスマス商戦や歳末大売出しなどといったイベントが行われます。今年最後の売り上げ拡大のチャンスですから商品をすべて売り切って新年を迎えたいところです。とはいっても、売り切れ御免とはならず、商品が残ってしまうこともあります。また、年明けに販売する予定の商品が年内に納品されることもあるでしょう。

　小売業に限らず、**12月31日に店頭や倉庫に残っている商品や材料などのことを在庫**といい、**この在庫の数量を数えることを実地棚卸**といいます。この数量に商品ごとの単価を乗じて、**棚卸金額（棚卸高）**を計算します。この在庫商品は、1月1日以降に販売されるため、決算に際して調整が必要となります。

　商品の販売による利益（粗利）は次の算式で計算されます。

$$売上 - \boxed{売上原価} = 粗利$$

　もし、当期に仕入れた商品のすべてが当期中に販売されているならば、「売上原価＝当期の仕入高」となります。

　しかし、継続して営業活動を行っている場合、**前期に仕入れたが前期末までに販売されなかった商品や当期中に仕入れたが当期末までに販売されなかった商品**が存在します。そこで、期末の棚卸を行い、売上高に対応した原価（売上原価）を計算することとしているのです。売上原価の計算式は次のとおりです。

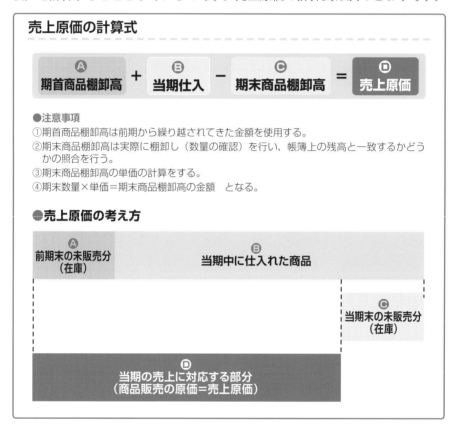

　なお、この棚卸は12月31日に必ず実施しなければなりませんが、毎月末にも実施することをお勧めします。不良在庫や過剰在庫等の確認にもなりますし、月次決算を行っている場合には、月末棚卸高を反映させることで正確な損益を認識することができます（帳簿上の棚卸で代用することもあります）。

売上原価を実際に計算してみよう

「売上原価」は勘定科目ではなく、損益計算書の表示項目です。帳簿記入や入力の際に「売上原価」という勘定科目を使用することはありません。

売上原価の計算例

例 本年の商品の仕入、売上の状況は次のとおり。

売　　　上	90,000,000 円
期首商品棚卸高	1,000,000 円
当期の仕入総額	40,000,000 円

前年の損益計算書の期末商品棚卸高のこと

●**棚卸表** 202X 年 12 月 31 日

商品名	単　価	数　量	金　額
A商品	300円	2,000個	600,000円
B商品	200円	2,500個	500,000円
C商品	500円	1,000個	500,000円
合　　計			1,600,000円

棚卸では左のような棚卸表を用意し、商品名と単価、数量、金額を記録します

（期首商品棚卸高） **1,000,000円**	＋	（当期仕入） **40,000,000円**	－	（期末商品棚卸高） **1,600,000円**	＝	（売上原価） **39,400,000円**

次に青色申告決算書の１枚目にある損益計算書で売上原価の計算をします

科　　　　目		金　　　額 (円)
売 上（収 入）金 額 （ 雑 収 入 を 含 む ）	①	9 0 0 0 0 0 0 0
売上原価	期首商品（製品）棚　卸　高 ②	1 0 0 0 0 0 0
	仕入金額（製品製造原価）③	4 0 0 0 0 0 0 0
	小　　計（②＋③）④	4 1 0 0 0 0 0 0
	期末商品（製品）棚　卸　高 ⑤	1 6 0 0 0 0 0
	差引原価（④－⑤）⑥	3 9 4 0 0 0 0 0
差 引 金 額 （①－⑥）	⑦	5 0 6 0 0 0 0 0

ここに金額を記入して売上原価を計算

簡単経理のツボ！ 6-04

期末商品棚卸高は「棚卸表」を使って計算。
期首商品棚卸高は前年の損益計算書を確認する。

6 決算整理⑤　減価償却

飲食店経営
Iさん

新車の営業車両を
100万円で購入し
ました。これは購
入した年に全額経
費にできますか？

全額経費にはでき
ません。10万円以
上の資産について
は、減価償却とい
う手続きで購入価
額を配分して費用
に計上します。

減価償却とは？

◎事業で使う車両やパソコンなどの資産は購入価額を使
用可能期間に配分する手続きが必要です。その手続き
が**減価償却**です。

固定資産は費用にならない？

　店舗や事務所の内装費用や営業に使う乗用車や荷物運搬用のトラックなどの
車両運搬具、商品を加工するための機械や装備、パソコン、応接セット、事務
用机や椅子、書類保管のキャビネットといったものを固定資産といいます。

　固定資産を購入したら、その時点で車両運搬具などの勘定科目を使って資産
に計上します。**使用可能期間が1年以上で1組当たりの取得価額が10万円以上
の資産は購入した年に全額を費用とすることはできません。購入価額を使用可
能期間に配分する手続き**を行うのですが、この手続きを減価償却といいます。
そして**計算された各年度分の費用のこと**を減価償却費といいます。

　例えば、100万円の新車の営業用自動車を現金で購入した場合を考えてみ
ましょう。自動車の購入時には次のように仕訳が行われます。

1/10	（借方）車両運搬具	1,000,000	（貸方）現金	1,000,000

普通乗用車は使用可能期間が６年と定められていますから、この６年の中で購入価額100万円を割り振って費用とするのです。

このように**減価償却する資産を経費として計上する期間のことを耐用年数**<ruby>耐用年数<rt>たいようねんすう</rt></ruby>といいます。耐用年数は資産によって細かく規定されており、国税庁のホームページ「**耐用年数表**」で調べることができます。

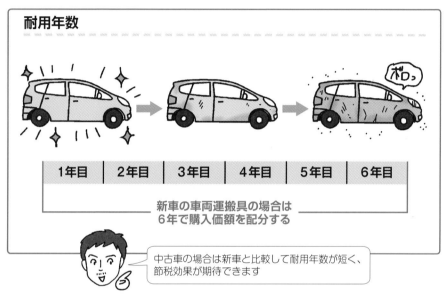

耐用年数

| 1年目 | 2年目 | 3年目 | 4年目 | 5年目 | 6年目 |

**新車の車両運搬具の場合は
6年で購入価額を配分する**

中古車の場合は新車と比較して耐用年数が短く、節税効果が期待できます

減価償却の対象になる資産とならない資産

減価償却の対象となる資産は、**使用可能期間が1年以上で、1組当たりの取得価額が10万円以上の資産**です。したがって、取得価額が10万円未満の資産は、購入した年に全額を費用に計上できます。

なお、**取得価額とは、購入代金だけではなく、「購入の手数料などの費用」「試運転などの費用」の合計**です。例えば、事務所のブラインドを30万円で購入し、その工事費が5万円だったら35万円が取得価額になります。

また、青色申告者の特例として、**取得価額が30万円未満の資産については、その全額をその年分の費用として計上することができます**（2026年3月31日までの特例、**年間300万円が上限**）。

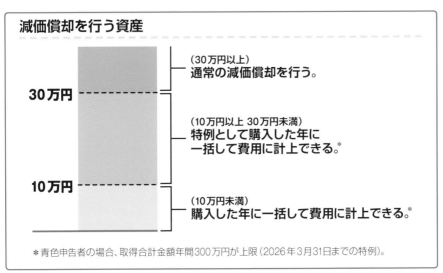

減価償却を行う資産

30万円 - - - - - -

（30万円以上）
通常の減価償却を行う。

（10万円以上 30万円未満）
**特例として購入した年に
一括して費用に計上できる。**＊

10万円 - - - - - -

（10万円未満）
購入した年に一括して費用に計上できる。＊

＊青色申告者の場合、取得合計金額年間300万円が上限（2026年3月31日までの特例）。

＊取得価額が 10万円以上 20万円未満の減価償却資産についても一括償却資産の特例がある。
詳しくは国税庁のホームページを参照のこと。

**青色申告事業者の場合、
30万円未満の資産なら購入した年に一括して費用計上できる。**

 注意 取得価額の金額の判定は、事業者が税込経理か税抜経理かによって異なります。詳しくは 136 ページ
を参照してください。

減価償却費の計算方法

　個人事業者の場合は、定額法（ていがくほう）という、**毎年一定額を減価償却費として計上す
る方法**で償却します。基本的には毎年減価償却費は同額になります。

定額法での減価償却費の計算方法

$$減価償却費＝取得価額×償却率＊×\frac{その年の使用月数＊＊}{12か月}$$

（端数は切り上げ）

＊耐用年数や償却方法によって定められた減価償却費を計算するための率のこと
（国税庁のホームページを参照のこと）。

＊＊1か月未満の端数は切り上げ。例えば、5月10日に購入した場合は、
7か月と22日使ったことになるので、8か月となる。

では、次の例で減価償却費を計算して仕訳してみましょう。

例

新車の営業用普通自動車を5月10日に1,000,000円で購入。
(5月10日に購入➡7か月と22日使用➡使用月数8か月)
普通自動車の耐用年数：6年
償却率：0.167

❶ **まず減価償却費を計算します。**

取得した年の減価償却費	＝取得価額×償却率×	その年の使用月数 / 12か月

$$111,333円 = 1,000,000円 \times 0.167 \times \frac{8か月}{12か月}$$

❷ **次に減価償却費を仕訳します。**

● **1年目の仕訳**

12/31	（借方）減価償却費	111,333	（貸方）車両運搬具	111,333

❸ **2年目以降も同じ計算式で計算し、仕訳します。**

2年目以降の減価償却費	＝取得価額×償却率×	その年の使用月数 / 12か月

$$167,000円 = 1,000,000円 \times 0.167 \times \frac{12か月}{12か月}$$

● **2年目以降の仕訳**

12/31	（借方）減価償却費	167,000	（貸方）車両運搬具	167,000

ちょっと補足

定額法以外の償却方法は？

法人では、定額法のほかに定率法という償却方法が用いられます。定率法では、取得した最初の年に最も償却費が多く計上され、徐々に償却費が少なくなっていきます。ただし、定率法は計算が面倒なのと、「所得税の減価償却資産の償却方法の届出書」を税務署にあらかじめ提出しなければなりません。償却方法の変更は可能ですが、個人事業主は原則的に「定額法」で計算することになっていることを覚えておきましょう。

青色申告決算書は
どうやって手に入
れればいいんです
か？

デザイナー
Cさん

開業届と所得税の
青色申告承認申請
書を提出していれ
ば、送られてきま
すよ。

青色申告決算書を
準備しよう

◎**青色申告決算書**は確定申告の用紙といっしょに1月に
送られてきます。
◎個人事業者は「**一般用**」というフォームを使います。

 ## 個人事業者は「一般用」を使用する

　決算整理の作業が終わったら、いよいよ青色申告決算書の作成になります。
まず、青色申告決算書を準備しましょう。定められた期限内に「個人事業の開
業届出書」（37ページ）と「所得税の青色申告承認申請書」（43ページ）を提
出していれば、**青色申告決算書と確定申告の用紙が郵送されてきます**。国税庁
のホームページからダウンロードすることもできます。また、国税庁のサイト
「確定申告書等作成コーナー」で作成することもできます。

　青色申告決算書にはいくつかの種類があり、**個人事業の方は「一般用」と書
かれたフォームを使います**。一般用のほかに、「農業所得用」「不動産所得用」「現
金主義用」がありますが、これらは一般の個人事業者が使うフォームとは異な
りますので間違えないでください。

簡単
経理の
ツボ！
6-06

青色申告決算書は、「一般用」を選ぶこと！

青色申告決算書は4枚で1セット

　青色申告決算書は「提出用」と「控え用」があります。最初の4枚が「提出用」で、残りの4枚は「控え用」です。次ページより記入のしかたを説明します。

青色申告決算書のダウンロード

青色申告決算書は国税庁のホームページからダウンロードできます。検索サイトで次のように入力し検索

国税庁　所得税青色申告決算書　一般用　 検索

国税庁　確定申告書等作成コーナー

国税庁は「確定申告書等作成コーナー」をWEBで公開しています。画面案内にしたがって金額等を入力することで、所得税の確定申告書が作成できます。検索サイトで次のように検索してみましょう

国税庁　確定申告書等作成コーナー　 検索

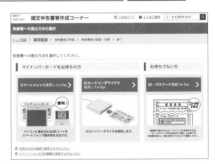

「ご利用ガイド」をクリックすると利用方法などを閲覧できる。なお、PCやブラウザなど推奨環境があるので必ず確認しよう。

作成した確定申告書は印刷して税務署へ郵送等により提出できる。電子申告書等データを作成すればe-Taxにより申告等を行うことも可能。マイナンバーカードを使用すると、マイナポータルから各種控除証明書等のデータを取得できる。

青色申告決算書 1枚目　記入のしかた

青色申告決算書2枚目の「月別売上（収入）金額及び仕入金額」の「売上（収入）金額」を記入。

青色事業専従者に支給した給与の総額を記入（青色申告決算書2枚目の「専従者給与の内訳」）。

税務署への提出日を記入。確定申告書と同じ日付にする。

事業初年度は事業開始日を記入。翌年以降は1月1日になる。

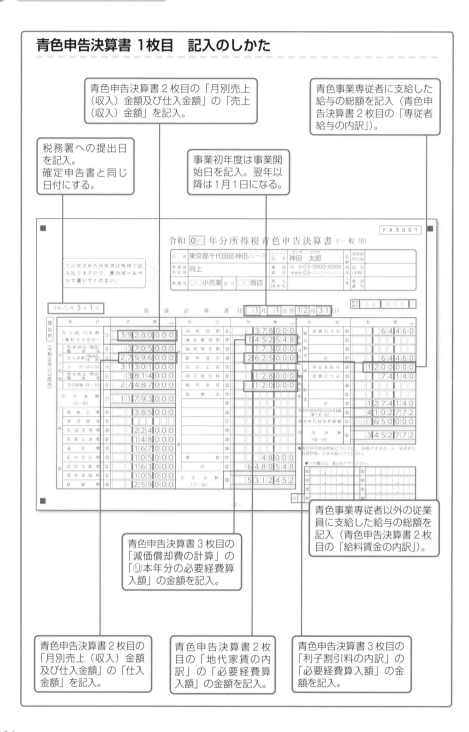

青色申告決算書3枚目の「減価償却費の計算」の「⑦本年分の必要経費算入額」の金額を記入。

青色事業専従者以外の従業員に支給した給与の総額を記入（青色申告決算書2枚目の「給料賃金の内訳」）。

青色申告決算書2枚目の「月別売上（収入）金額及び仕入金額」の「仕入金額」を記入。

青色申告決算書2枚目の「地代家賃の内訳」の「必要経費算入額」の金額を記入。

青色申告決算書3枚目の「利子割引料の内訳」の「必要経費算入額」の金額を記入。

青色申告決算書 2枚目　記入のしかた

月次決算を行い、毎月の売上と仕入を記入。

青色申告決算書の1枚目「⑳給料賃金」へ転記。

令和 ○△ 年分　氏名　カンダ　タロウ　神田　太郎

整理番号　F A 3 0 2 6

○月別売上（収入）金額及び仕入金額

月	売上（収入）金額	仕入金額
1	2,644,000	1,756,000
2	2,506,000	2,102,000
3	2,980,000	2,148,000
4	3,044,000	2,195,000
5	3,107,000	2,452,000
6	3,459,000	2,283,000
7	3,228,000	2,014,000
8	2,859,000	2,227,000
9	3,351,000	2,456,000
10	3,602,000	2,629,000
11	3,838,000	2,605,000
12	4,135,000	2,728,000
家事消費	207000	
雑収入	320000	
計	39280000	27596000

○給料賃金の内訳

氏　名	年齢	従事月数	給料賃金	賞　与	計	所得税及び復興特別所得税の源泉徴収税額
千代田　健	25	12	1,200,000	300,000	1,500,000	17,100
永田　愛	21	12	900,000	225,000	1,125,000	0
その他　　人分						
計	2	4	2,100,000	525,000	2,625,000	17100

○専従者給与の内訳

氏　名	年齢	従事月数	給料	賞　与	計	所得税及び復興特別所得税の源泉徴収税額
神田　夏子　妻	38	12	960,000	240,000	1,200,000	2,600
計	1	2	960,000	240,000	1,200,000	2600

○地代家賃の内訳

支払先の住所・氏名	賃借物件	本年中の賃借料・権利金等	左の賃借料のうち必要経費算入額
千代田区神田神保町△−△−△　神保　次郎	土地	240,000	120,000

○貸倒引当金繰入額の計算

	金　額
個別評価による本年分繰入額 ⑦	
一括評価による繰入額 本年分繰入限度額 ⑧	1,348,000
本年分繰入額 ⑨	74,140
繰入額 ⑩	74,140
本年分の貸倒引当金繰入額	74,140

○青色申告特別控除額の計算

	金　額
本年分の不動産所得の金額（青色申告特別控除前の所得金額） ㉕	
青色申告特別控除前の所得金額	4,102,772
青色申告特別控除額	
青色申告特別控除額	650,000
上記以外 10万円と㊸のいずれか少ない方の金額	
青色申告特別控除額	

−2−

青色申告決算書の1枚目「①売上（収入）金額」へ転記。

青色申告決算書の1枚目「③仕入金額」へ転記。

青色申告決算書の1枚目「㊸青色申告特別控除前の所得金額」から転記。

地代家賃の総額を記入。青色申告決算書1枚目の「㉓地代家賃」に転記。

青色申告決算書 3枚目　記入のしかた

減価償却資産の耐用年数と償却率は国税
庁が発行する「青色申告の決算の手引き
（一般用）」、もしくは国税庁のホームペー
ジに掲載されている。

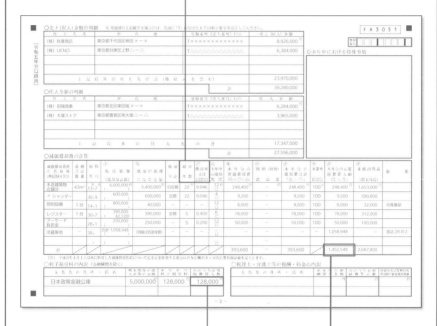

事業用に資金を借入したときに
金融機関に支払った利息の総額
を記入。青色申告決算書の1枚
目「㉒利子割引料」に転記。

これが本年分の減価償
却費になる。青色申告
決算書の1枚目「⑱減
価償却費」に転記。

青色申告決算書 4枚目　記入のしかた

事業初年度は事業開始日を記入。翌年以降は1月1日になる。

期末時点での金融機関などからの借入金等の総額を記入。

事業を開始した際の元手になるお金を「元入金」の欄に記入。

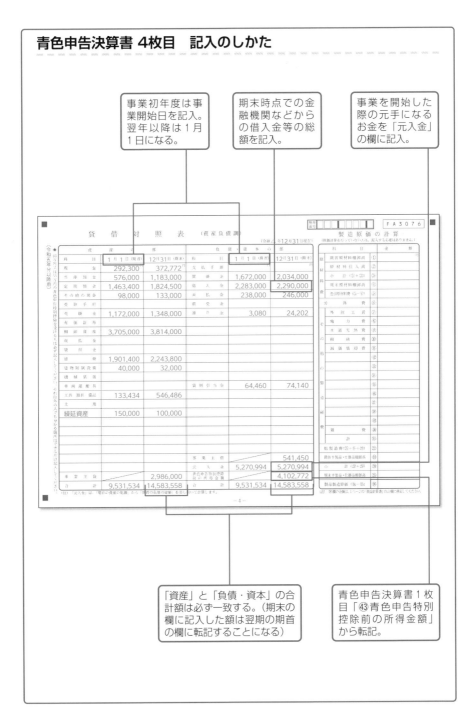

「資産」と「負債・資本」の合計額は必ず一致する。（期末の欄に記入した額は翌期の期首の欄に転記することになる）

青色申告決算書1枚目⑬「青色申告特別控除前の所得金額」から転記。

経営戦略を練るためのデータベースを作成する

　コンビニエンスストアでは、レジスターのバーコード読み取り機でピッとなった瞬間に売上が計上されます。そして、すべての売上情報（商品単価、数量、購入者のおおよその年齢、気温など）をPOSというシステムで管理しています。その集計結果を在庫管理やマーケティングの材料として利用しているのです。

　帳簿は指定された期間の取引を「金額」で記入しますが、その「金額」を集計する前の個々の取引を記録すれば、あなたの事業のデータベースになります。例えば、小売業の場合、販売した商品の単価と数量などを記録することで、月ごとに在庫管理をする、新商品の仕入に役立てるといったことができるようになります。また、飲食業の場合、来客数や男女の別など顧客属性を記録したりすることで、食材の発注、メニュー変更のタイミングや次の店舗展開へのデータとして利用する、といった活用が考えられます。**売上データをできるだけ細かい内容で把握しておくことで戦略を構築する際の重要な手掛かりとすることができるのです。**

　日々の業務に追われて、帳簿づけをおろそかにしている事業者を見るたびに、将来の戦略を練る、事業計画を作成するなど、さまざまな場面で役に立つ情報を捨てていて、もったいない、と感じます。後からその情報をデータベース化するのは困難なので、できる限り当日のうちにデータにしておきたいところです。

　帳簿作成や管理情報の作成にかかる時間は、パソコンやソフトウェアの導入でかなり軽減できるはずです。**最近では、使い勝手がよく、それでいて低コストで利用できる会計ソフトや販売管理ツールが増えてきました。**ぜひ導入を検討してください。

7 章

所得税の
確定申告書を作ろう

① 確定申告に必要な書類

確定申告に必要な書類の準備をはじめようと思っています。どんな書類が必要なんでしょうか？

青色申告決算書と確定申告書、所得控除や税額控除の証明書が必要です。早めにそろえておきましょう。

アートディレクター
F さん

確定申告書
個人事業者は B 様式

◎**確定申告**は翌年2月16日〜3月15日が提出期間となっています。
◎青色申告決算書、確定申告書のほかに、**所得控除**や**税額控除**の証明書などが必要です。

個人事業者は確定申告で所得税を納める

　個人事業主は、毎年1月1日から12月31日までの1年間に生じた所得について、翌年2月16日から3月15日までの間に*所轄の税務署に所得税の申告を行う必要があります。この手続きを**確定申告**といいます**。

　所得税は事業者自らが所得と税額を算出して納税する、**自主申告制度**が採用されています。新型コロナ感染拡大などにより、期限が延長されることもあります。

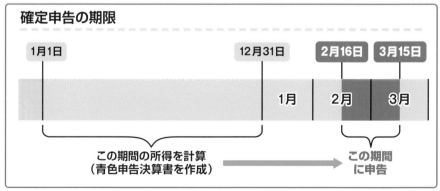

確定申告の期限

1月1日		12月31日	2月16日	3月15日
			1月	2月	3月

この期間の所得を計算
（青色申告決算書を作成）

この期間
に申告

＊還付の場合は、2月15日以前でも確定申告できる。
＊＊消費税の申告の場合も「確定申告」という。詳しくは8章を参照。

必要な書類① まず確定申告書と手引きを手に入れよう

確定申告にあたって必要なのが次の2つです。

❶所得税の確定申告書

❷所得税の確定申告の手引き

❷は確定申告書を書く際の説明書です。手引きに記入した後に転記すれば、確定申告書ができるように作られています。

なお、開業届を出している方、前年に確定申告している方には税務署から確定申告書も手引きも送付されてきますが、早めに手に入れたいという方は国税庁のホームページからダウンロードすることもできます。もちろん税務署でも入手できます。また、国税庁のサイト「確定申告書等作成コーナー」で作成することもできます（183ページ）。

確定申告書と所得税の確定申告の手引き

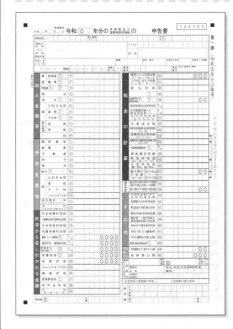

確定申告をイチから書く際の指針になる手引き書が確定申告書といっしょに送られてくる。

確定申告書にはAとBの2種類あったが、2023＜令和5＞年1月からAは廃止され、Bに一本化された。

＊消費税の確定申告にも申告の手引となる「消費税と地方消費税の確定申告書の手引」が用意されている。詳しくはP222以降を参照。

必要な書類② 所得控除や税額控除の証明書

　所得税を計算する際、**所得金額から所得控除額を差し引いて所得税額を計算し、そこから税額控除を差し引いて税額が確定**します（詳細は次ページ〜）。

　所得控除、税額控除にはさまざまな種類がありますが、それを証明する証明書類を確定申告書に添付して提出しなければなりません。

 必要な書類③ 支払調書

　デザイナーやライター、翻訳家、フリーの編集者などには、1月に入ると得意先から支払調書という書類が送られてきます。これは**1年間にその得意先が支払った報酬金額と源泉徴収額が記載された書類で、確定申告書作成の参考に**なります。

支払調書　見本

支払調書は源泉徴収されたことを証明する書面で、得意先から年始に送られてきます。
2016年以降の支払調書には、個人事業者本人のマイナンバーと報酬の支払者の法人番号（もしくは個人番号）が記載されます

| 令和　年分　報酬、料金、契約金及び賞金の支払調書 |

確定申告書にはマイナンバーの記載が必要

　社会保障・税番号制度（マイナンバー制度）の導入により、個人事業主は2016年度分の確定申告（2017年2月〜3月に行う確定申告）から、確定申告書類にマイナンバーを記載することになりました。法人には法人番号（13桁）が付与されますが、個人事業には個人事業番号というものはありません。確定申告書には個人事業者本人の番号（12桁）を記載します。

② 所得税額の計算

会社勤めの頃は所得税は会社が計算してくれましたけど、個人事業では誰が計算してくれるんですか？

美容院経営
Aさん

個人事業者は自分で所得税を計算しなくてはなりません。
ここでわかりやすく説明しましょう。

所得税の計算式を
覚えよう！

◎所得税は所得金額から**所得控除額**（しょとくこうじょがく）を引いた額に税率を適用して計算します。
◎実際の税額計算は、**速算表**を使用して計算します。

📅 所得税の計算は難しくない

税務署から送付されてくる確定申告書には、わかりやすい手引きが同封されています。それに従って申告用紙に記入すれば、税額の計算まで簡単に済みます。ここでは個人事業にかかる所得税額の計算の基本を説明することにします。

所得税の計算手順は次のとおりです。

所得税額の計算式

所得税額＝（所得金額－所得控除額）×税率－税額控除

❶ 所得金額を計算する。 （青色申告決算書1枚目損益計算書の㊺の数字）

❷ 所得控除の金額を計算し、所得金額から差し引く。

❸ ❷に速算表を適用して税額を計算する。

❹ ❸から税額控除額を差し引いて所得税額が確定！

📅 所得控除を所得金額から差し引く

　所得金額とは、青色申告の場合、6章で作成した**青色申告決算書の「㊺所得金額」**がこれに当たります。この所得金額から**所得控除額**を差し引いて、課税される所得金額を算出します。

　主な所得控除は次の通りです。このなかで特に説明が必要なものについて、次節から見ていきます。

所得控除

所得控除は次の通りです

控除の種類	控除を受けられる場合
雑損控除	災害、盗難、横領によって、住宅や家財などの資産に損害を受けた場合
医療費控除	一定額以上の医療費を支払った場合 （納税者と生計を一にする配偶者やその他の親族の医療費も含む）
社会保険料控除	社会保険料（国民年金保険料、国民健康保険料など）を支払った場合 （納税者と生計を一にする配偶者やその他の親族の社会保険料も含む）
小規模企業共済等掛金控除	小規模企業共済等掛金、確定拠出年金法の個人型年金の掛金、心身障害者扶養共済の掛金を支払った場合
生命保険料控除	生命保険料、介護医療保険料、個人年金保険料などを支払った場合
地震保険料控除	地震等損害部分の保険料や掛金、(旧)長期損害保険料の支払いがある場合
寄附金控除	国や地方公共団体、特定公益増進法人などに対し、特定寄附金を支出した場合
寡婦・ひとり親控除	納税者が寡婦である場合。納税者がひとり親である場合
勤労学生控除	納税者が勤労学生である場合
障害者控除	納税者、その控除対象配偶者、扶養親族が障害者である場合
配偶者控除	納税者に控除対象配偶者がいる場合（納税者本人の所得が1,000万円超の場合は使えない）
配偶者特別控除	配偶者の合計所得金額が48万円超133万円以下で、納税者の合計所得金額が1,000万円以下の場合
扶養控除	納税者に控除対象扶養親族がいる場合
基礎控除	納税者すべてに適用される控除 （原則一律に48万円。所得金額に応じて控除額が変わる。）

所得税額は速算表を使用して求める

所得金額から所得控除の金額を差し引いた金額を課税所得金額といいます。この課税所得金額に税率を適用して、所得税額を算出します。所得税は超過累進課税といって、所得の多い人ほど高い所得税率が適用されます。

所得税額は、所得税の速算表を使用して求めます。2013年分から25年間は復興特別所得税（所得税額の2.1％相当額）が導入されるので、注意しましょう。

所得税の速算表（復興特別所得税を含む）

課税される所得金額Ⓐ	税率	控除額	算式
195万円以下	5%	0円	（Ⓐ×5%）　　　　　　　　　×102.1%
195万円超330万円以下	10%	97,500円	（Ⓐ×10%　－97,500円）×102.1%
330万円超695万円以下	20%	427,500円	（Ⓐ×20%　－427,500円）×102.1%
695万円超900万円以下	23%	636,000円	（Ⓐ×23%　－636,000円）×102.1%
900万円超1,800万円以下	33%	1,536,000円	（Ⓐ×33%－1,536,000円）×102.1%
1,800万円超4,000万円以下	40%	2,796,000円	（Ⓐ×40%－2,796,000円）×102.1%
4,000万円超	45%	4,796,000円	（Ⓐ×45%－4,796,000円）×102.1%

例 2020年分で「課税される所得金額」が500万円の場合
「330万円を超え695万円以下」の税率と控除額を使用するので、所得税額は次のように計算できる。

（ **5,000,000円** × **20%** － **427,500円** ）×**102.1%**＝ **584,522円**

課税所得金額　税率　控除額　　税額 584,500円
（1,000円未満切り捨て）　　　　　　　　　（100円未満切り捨て）

 簡単税務のツボ！ 7-01

課税所得金額 ＝ 所得金額 － 所得控除額
この課税所得金額を上の速算表に当てはめて所得税額を計算する。

③ 所得控除と必要な書類

確定申告をすると
きは所得控除を証
明する証明書が必
要ですよね？
それはどうやって
提出すればいいん
ですか？

デザイナー
Cさん

「添付書類台紙」に
のりづけして申告
書といっしょに提
出するんですよ。

**所得控除の証明書を
準備しよう**

◎社会保険料控除、小規模企業共済等掛金控除、生命保
険料控除、地震保険料控除などを受ける方は証明書を
添付して提出しなくてはなりません。
◎ e-Tax で所得税の確定申告を行う場合、これらの証明
書にある記載内容を入力して送信することにより、提
出を省略することができます。詳しくは e-Tax のサイ
トを参照してください。

 社会保険料控除 健康保険料、年金、介護保険料などを支払った場合

社会保険料控除は、納税者が支払った社会保険料や、納税者の給与などから
差し引かれたりした社会保険料がある場合の控除です。この社会保険料には納
税者と生計を一にする配偶者やその他の親族が負担すべき保険料を納税者が支
払ったものも含まれます。

控除の対象となる社会
保険料は次の通り

所得控除の対象となる社会保険料

健康保険、国民年金、厚生年金保険および船員保険の保険料	
国民健康保険料、国民健康保険税	後期高齢者医療保険料
介護保険料	国民年金基金、厚生年金基金の掛金

その他

控除できる金額は、**その年に実際に支払った金額または給与などから差し引かれた金額の全額**です。

国民年金保険料、国民年金基金の掛金については、確定申告書の提出の際に**社会保険料（国民年金保険料）控除証明書**の添付が必要です。国民健康保険料については証明書などの添付が不要なので、支払った金額を調べるだけで大丈夫です。

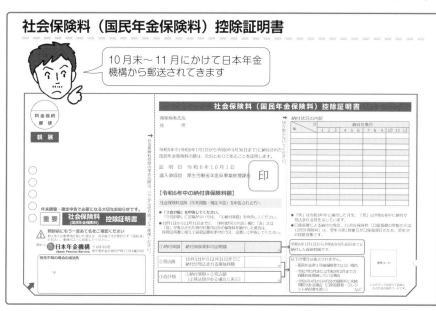

小規模企業共済等掛金控除

しょう き ぼ き ぎょうきょうさいとうかけきんこうじょ

小規模企業共済等掛金など
の掛金を支払った場合

小規模企業共済は、個人事業主が事業を廃止し
たときなど、積み立ててきた掛金に応じて共済金
を受け取れるという制度、いわば個人事業主に
とっての退職金制度というべきものです。

この掛金は小規模企業共済等掛金控除として全
額控除の対象となります。また、一定期間、一定
額以上を積み立てると必要なときに融資を受けら
れるという特典もあります。

小規模企業共済は独立行政法人中小企業基盤整
ちゅうしょう き ぎょう き ばんせい
び き こう
備機構が運営する共済制度です。全国の金融機関、
商工会議所、青色申告会などで申し込むことがで
きます。

ちょっと補足
他にも同じような
共済制度は？

小規模企業共済を運営する
中小企業基盤整備機構が
行っている「経営セーフ
ティ共済（中小企業倒産防
止共済）」は必要経費にな
ります（「保険料」などの
勘定項目で処理します。所
得控除にはなりません）。
これは取引先の倒産など不
測の事態による連鎖倒産か
ら中小企業や個人事業主を
守るための制度です。

生命保険料控除

生命保険料、介護医療保険料、
個人年金保険料を支払った場合

生命保険料控除の対象となる保険
契約等には、生命保険契約等、介護
医療保険契約等、個人年金保険契約
等があります。

支払った生命保険料が生命保険料
控除の対象かどうかについては、保
険会社などから送られてくる証明書
で確認できます。この証明書は添付
書類台紙にのりづけして提出します。

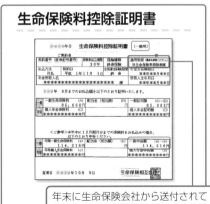

年末に生命保険会社から送付されて
くる生命保険料控除証明書に、分類
に関する情報が記載されている。

2012年1月1日以後の保険契約（新契約）と、2011年12月31日以前の
保険契約（旧契約）では控除の扱いが違います。

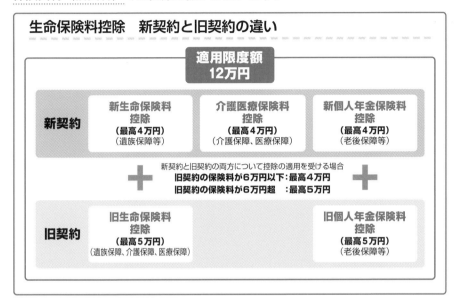

新契約（2012年1日1日以後の保険契約）での控除額　最高4万円の控除

年間の支払保険料等	控除額
20,000円以下	支払保険料等の全額
20,000円超　40,000円以下	支払保険料等×$\frac{1}{2}$ +10,000円
40,000円超　80,000円以下	支払保険料等×$\frac{1}{4}$ +20,000円
80,000円超	一律40,000円

旧契約（2011年12月31日以前）での控除額　最高5万円の控除

年間の支払保険料等	控除額
25,000円以下	支払保険料等の全額
25,000円超　50,000円以下	支払保険料等×$\frac{1}{2}$ +12,500円
50,000円超　100,000円以下	支払保険料等×$\frac{1}{4}$ +25,000円
100,000円超	一律50,000円

地震保険料控除 地震等損害部分の保険料や掛金、(旧)長期損害保険料の支払いがある場合

地震保険料控除は、損害保険契約等について納税者の支払った地震等損害部分の保険料(いわゆる契約者配当金を除く)がある場合の控除です。控除される金額は次のとおりです。適用を受ける場合、保険料控除証明書の添付が必要です。

地震保険料控除の控除額

区分	年間の支払保険料の合計(円)	控除額(円)
①地震保険料	〜50,000円	支払金額全額
	50,001円〜	50,000円
②旧長期損害保険料	〜10,000円	支払金額全額
	10,001〜20,000円	支払金額 × $\frac{1}{2}$ +5,000円
	20,001円〜	15,000円
①②の両方がある場合	―	①②の合計額(最高50,000円)

 配偶者控除 納税者に控除対象配偶者がいる場合

配偶者控除は、納税者に控除対象配偶者[*]がいる場合の控除です。

＊控除対象配偶者：その年の12月31日の時点で次の要件のすべてに当てはまる人。

控除対象配偶者の要件

☐内縁関係ではなく、婚姻関係にある配偶者。
☐納税者と生計を一にしている。
☐年間の合計所得金額が48万円以下。
☐青色申告者の事業専従者として、その年を通じて一度も給与の支払いを受けていないか、白色申告者の事業専従者でない。

配偶者控除の控除額

	納税者本人の合計所得金額		
	900万円以下	900万円超950万円以下	950万円超1,000万円以下
一般の控除対象配偶者	38万円	26万円	13万円
老人控除対象配偶者[*]	48万円	32万円	16万円

＊控除対象配偶者のうち、その年の12月31日現在の年齢が70歳以上の人。

配偶者特別控除 配偶者控除を受けられない人で一定の
要件を満たす配偶者がいる場合

配偶者に48万円を超える所得があるため、配偶者控除の適用が受けられないときでも、**配偶者の所得金額に応じて、一定の金額の所得控除が受けられる場合があります。**これを**配偶者特別控除**といいます。

配偶者特別控除の適用を受けるための要件

□納税者のその年の合計所得金額が1,000万円以下。
□内縁関係ではなく、婚姻関係にある配偶者である。
□配偶者が納税者と生計を一にしている。
□配偶者の年間の合計所得金額が48万円を超えて133万円以下。
□配偶者が、青色申告者の事業専従者として、その年を通じて一度も給与の支払いを受けていないか、白色申告者の事業専従者でない。
□配偶者がほかの人の扶養親族となっていない。

配偶者特別控除の控除額

配偶者の合計所得金額	納税者本人の合計所得金額		
	900万円以下	900万円超950万円以下	950万円超1,000万円以下
48万円超95万円以下	38万円	26万円	13万円
95万円超100万円以下	36万円	24万円	12万円
100万円超105万円以下	31万円	21万円	11万円
105万円超110万円以下	26万円	18万円	9万円
110万円超115万円以下	21万円	14万円	7万円
115万円超120万円以下	16万円	11万円	6万円
120万円超125万円以下	11万円	8万円	4万円
125万円超130万円以下	6万円	4万円	2万円
130万円超133万円以下	3万円	2万円	1万円

 扶養控除 納税者に控除対象扶養親族がいる場合

納税者に所得税法上の**控除対象扶養親族**＊がいる場合の控除です。

＊控除対象扶養親族：その年の12月31日の時点で次の要件のすべてに当てはまる16歳以上の人。

控除対象扶養親族の要件

□配偶者以外の親族（6親等内の血族および3親等内の姻族）、または都道府県知事から養育を委託された児童（いわゆる里子）や市町村長から養護を委託された老人。
□納税者と生計を一にしている。
□年間の合計所得金額が48万円以下。
□青色申告者の事業専従者として、その年を通じて一度も給与の支払いを受けていないか、白色申告者の事業専従者でない。

扶養控除の控除額 （扶養親族1人あたりの控除額）

区分		控除額
一般の控除対象扶養親族（16歳以上）		38万円
特定扶養親族（19歳以上～23歳未満）		63万円
老人扶養親族（70歳以上）	同居老親等以外	48万円
	同居老親等	58万円

④ 所得税の確定申告書を作ろう

確定申告に必要な書類がそろいました！ 確定申告書へはどう記入すればいいんですか？

確定申告書へはここで解説する手順に従って記入していきます。

飲食店経営
Iさん

確定申告書へ記入しよう！

◎確定申告書へは、①売上代金と所得金額を記入、②所得控除を第二表にそれぞれ記入、③所得控除額を第一表に記入、④課税所得金額、課税額を計算、の順番で進めましょう。

手順1 売上金額と所得金額を記入

では、事例をもとに確定申告書を作成してみましょう。

家族構成

佐藤浩志
事業主 50歳

佐藤陽子
所得なし 48歳

佐藤太郎
高校生 17歳

佐藤花子
高校生 16歳

- 本年9月に独立開業
- 前職の退職までの給与 270万円
- 源泉徴収税額65,800円

社会保険と生命保険の支払額

- 国民年金保険料支払額　20万円
- 国民健康保険料支払額　20万円
- 一般生命保険料 (2011年12月31日以前の契約) 114,216円

　まず、確定申告書の「収入金額等」に記入する「売上代金」を確認します。

　これは青色申告決算書の1枚目「損益計算書」の①欄「売上（収入）金額」です。

　次に「所得金額」には、「損益計算書」の㊺欄の金額を記入します。

青色申告決算書から収入金額と所得金額を記入

●青色申告決算書の損益計算書

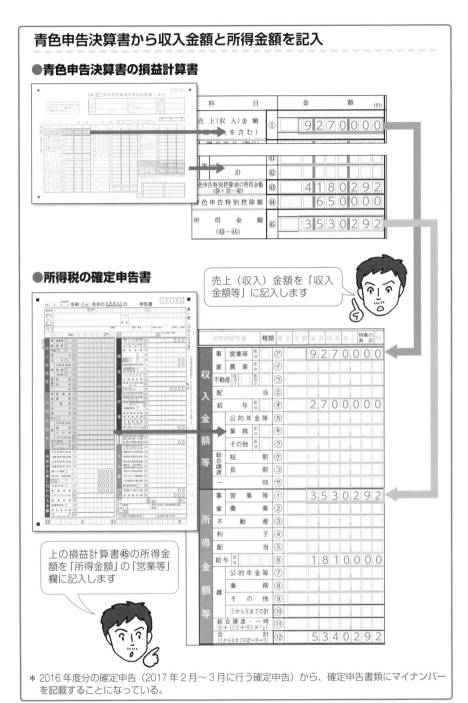

科　　目		金　　額 (円)
売上(収入)金額 (雑収入を含む)	①	9 2 7 0 0 0 0
⋮	⁝41	
計	㊷	
青色申告特別控除前の所得金額 (㉝+㊲-㊷)	㊸	4 1 8 0 2 9 2
青色申告特別控除額	㊹	6 5 0 0 0 0
所　得　金　額 (㊸-㊹)	㊺	3 5 3 0 2 9 2

●所得税の確定申告書

売上(収入)金額を「収入金額等」に記入します

		種類	青 色 分離 国出 損失 修正	特農の表示 特		
収入金額等	事業 営 業 等	⑦	区分		9 2 7 0 0 0 0	
	農 業	㋑	区分			
	不動産	㋒	区分			
	配 当	㋓				
	給 与	㋔	区分		2 7 0 0 0 0 0	
	雑 公的年金等	㋕				
	業 務	㋖	区分			
	その他	㋗	区分			
	総合譲渡 短 期	㋘				
	長 期	㋙				
	一 時	㋚				
所得金額等	事業 営 業 等	①			3 5 3 0 2 9 2	
	農 業	②				
	不 動 産	③				
	利 子	④				
	配 当	⑤				
	給与	⑥	区分		1 8 1 0 0 0 0	
	雑 公的年金等	⑦				
	業 務	⑧				
	その他	⑨				
	⑦から⑨までの計	⑩				
	総合譲渡・一時 ㋘+{(㋙+㋚)×½}	⑪				
	合 計 ①から⑥までの計+⑩+⑪	⑫			5 3 4 0 2 9 2	

上の損益計算書㊺の所得金額を「所得金額」の「営業等」欄に記入します

* 2016年度分の確定申告（2017年2月〜3月に行う確定申告）から、確定申告書類にマイナンバーを記載することになっている。

 注意 国税庁より発表された新様式案で作成しています。実際の様式とは異なる場合があります。

手順2 所得控除額を第二表に記入

次に所得控除額を算出します。次の流れで作業を進めます。

所得控除額 記入の流れ

❶ 確定申告書の第二表の「所得から差し引かれる金額に関する事項」の欄に参考事項を記入。

❷ 確定申告書の第一表の「所得から差し引かれる金額」欄に所得控除額を記入。

この事例で対象となる所得控除は、社会保険料控除、生命保険料控除、配偶者控除、扶養控除、基礎控除です。

●社会保険料控除の算出

国民年金保険料、国民年金基金の掛金、国民健康保険料、国民健康保険税などの支払額がそのまま控除額になります。**気をつけたい点は、「1月から12月まで」に実際に支払った金額のみが対象になる**ことです。未払いの金額は対象となりません。支払った年の控除対象になるので注意してください。

この例では、国民年金保険料の支払額が20万円、国民健康保険料の支払額が20万円ですので、40万円が社会保険料控除額となります。

●生命保険料控除の算出

生命保険料控除については、手引きの計算欄に記入して、生命保険料控除額を計算しましょう。199ページの表を参照してください。旧契約での生命保険で、支払った生命保険料は50,001円以上ですから、次のように計算できます。

114,216円 × 0.25 ＋ 25,000円 ＝ 53,554円

ただし、**旧契約の場合は、「最高5万円の控除」**となっていますから、この場合の生命保険料控除額は50,000円になります。

●配偶者控除の算出

配偶者控除は配偶者のいる方が受けられる控除ですが、すべての配偶者が対象となるわけではありません（200ページ参照）。この事例では、配偶者は青

色事業専従者でなく所得もないということなので、控除額は38万円です。

●扶養控除の算出

　扶養控除は親、子どもなどの扶養親族がいる方が受けられる控除です。配偶者控除と同様、親族が青色事業専従者の場合や、親族の所得金額が48万円以上の場合は対象となりません。また、子どもの年齢が16歳未満の場合も対象となりません。

　この事例では、青色事業専従者でなく所得もない、そして16歳以上ということなので、子ども2人が扶養控除の対象となります。

　201ページの表を見ると、扶養控除額は1人38万円ですから、

扶養控除額　＝　38万円×2人　＝　合計76万円　になります。

●基礎控除の算出

　一律に適用され、**基礎控除額は48万円**です。ただし、所得が2,400万円超となると減額され、2,500万円超となると使えません。

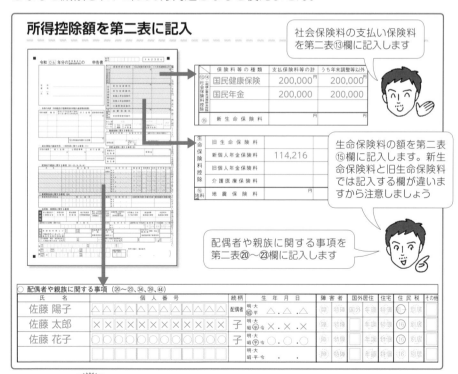

所得控除額を第二表に記入

社会保険料の支払い保険料を第二表⑬欄に記入します

保険料等の種類	支払保険料等の計	うち年末調整等以外
⑬・⑭ 社会保険料控除 国民健康保険	200,000円	200,000円
国民年金	200,000	200,000
⑮ 新生命保険料	円	円

生命保険料控除		
旧生命保険料		
新個人年金保険料	114,216	
旧個人年金保険料		
介護医療保険料		
⑯ 地震 地震保険料	円	

生命保険料の額を第二表⑮欄に記入します。新生命保険料と旧生命保険料では記入する欄が違いますから注意しましょう

配偶者や親族に関する事項を第二表⑳〜㉓欄に記入します

○ 配偶者や親族に関する事項（⑳〜㉓、㉞、㊴、㊹）

氏　名	個人番号	続柄	生 年 月 日	障害者	国外居住	住宅	住民税	その他
佐藤 陽子	△△△△△△△△△△△△	配偶者 明大 ㊶平 昭令	△.△.△	障 特障	国外 年調	特居	⑯ 別居	
佐藤 太郎	××××××××××××	子	明大 昭㊸令 ×.×.×	障 特障	年調 特居	16	別居	
佐藤 花子	○○○○○○○○○○○○	子	明大 昭㊸令 ○.○.○	障 特障	年調 特居	16	別居	
			明大 昭平令 . .	障 特障	年調 特居	16	別居	

注意　国税庁より発表された新様式案で作成しています。実際の様式とは異なる場合があります。

手順3 所得控除額を第一表に記入

ここで、所得控除額を整理しておきましょう。この内容を第一表の「所得から差し引かれる金額」欄に記入します。

第一表の「所得から差し引かれる金額」欄に記入

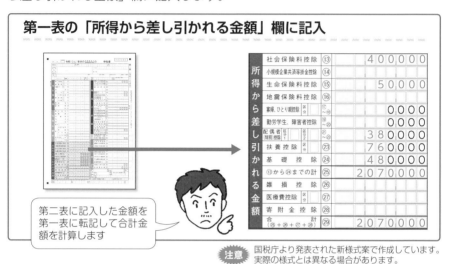

所得から差し引かれる金額	社会保険料控除	⑬	4 0 0 0 0 0
	小規模企業共済等掛金控除	⑭	
	生命保険料控除	⑮	5 0 0 0 0
	地震保険料控除	⑯	
	寡婦、ひとり親控除 区分	⑰~⑱	0 0 0 0
	勤労学生、障害者控除	⑲~⑳	0 0 0 0
	配偶者(特別)控除 区分	㉑~㉒	3 8 0 0 0 0
	扶 養 控 除 区分	㉓	7 6 0 0 0 0
	基 礎 控 除	㉔	4 8 0 0 0 0
	⑬から㉔までの計	㉕	2 0 7 0 0 0 0
	雑 損 控 除	㉖	
	医 療 費 控 除 区分	㉗	
	寄 附 金 控 除	㉘	
	合 計 (㉕+㉖+㉗+㉘)	㉙	2 0 7 0 0 0 0

第二表に記入した金額を第一表に転記して合計金額を計算します

注意 国税庁より発表された新様式案で作成しています。実際の様式とは異なる場合があります。

手順4 課税所得額と所得税額を計算

青色申告決算書で計算した所得金額からこの所得控除額を差し引いた金額に、「所得税の速算表」(195ページ)の税率を掛けて所得税を算出します。

それでは、所得税額を計算してみましょう。

所得税額を計算する

❶ 所得金額　　　　　5,340,292 円
❷ 所得控除額　　　　2,070,000 円
❸ ❶−❷　　　　　　3,270,292 円
　課税所得金額 ‥‥▶ 3,270,000 円 ◀ 1,000 円未満切り捨て
❹ 課税所得金額×税率
　3,270,000円× 10%− 97,500円＝ 229,500円
　この額から定額減税額、源泉徴収税額を差し引くなどして納税額を求めます。

この結果を確定申告書の第一表に記入すれば、確定申告書の完成です。

確定申告書第一表に記入して完成

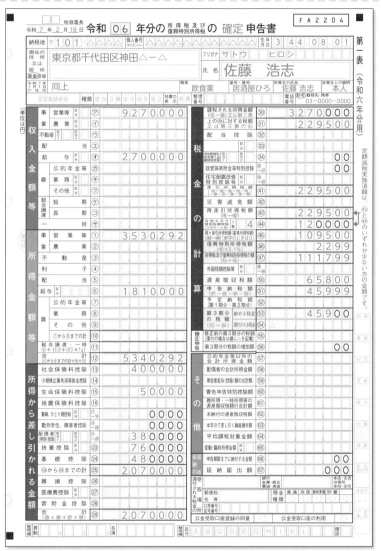

＊ 2024〈令和6〉年は1人当たり3万円の定額減税が行われたため、
㊹欄に定額減税額を記入して㊸欄の所得税額から差し引く。

 注意 国税庁より発表された新様式案で作成しています。実際の様式とは異なる場合があります。

【所得税の確定申告を作成する手順】①売上代金と所得金額の記入➡②所得控除額
を第二表に記入➡③所得控除額を第一表に記入➡④第一表で課税所得額と課税額の記入

⑤ 確定申告書の提出と納税・還付

確定申告書がよう
やく完成しまし
た！ どう提出す
ればいいですか？

フリープログラマー
Hさん

郵送でも、オン
ラインでの申告もで
きますが、初めて
の方は税務署で提
出したほうがよい
ですよ。

確定申告書の提出
と納税方法は３つ

◎確定申告書の提出は、①税務署の窓口で提出、②郵送、
　③電子申告の３つの方法があります。
◎所得税の納税は、①自動振替、②金融機関や税務署で
　納付、③電子納税の３つの方法があります。

📅 青色申告事業者が確定申告する際に提出する書類

青色申告事業者が確定申告の際に提出する書類は基本的に次の通りです。

青色申告事業者が確定申告の際に提出する書類

❶確定申告書
　第一表

❷確定申告書
　第二表

所得税の確定
申告で提出す
るのは左の４
つです

❸添付書類台紙

❹青色申告決算書

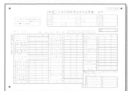

＊赤字が出た場合で翌
年以降３年間赤字を
繰り越す場合は「確
定申告書 第四表（損
失申告用）」をいっ
しょに提出する。

確定申告書の提出方法

確定申告の提出方法は次の3通りです。

方法Ａ e-Taxによる申告（電子申告）をする

e-Taxは、インターネットを使ってオンラインで申告書を提出する方法です。医療費の領収証などの提出を省略できる（5年間の保存は必要）、還付が早いといったメリットがあります。65万円の青色申告特別控除のためにもこの方法を使いましょう（詳しくは183、210、212ページ）。

方法Ｂ 税務署に出向き、窓口で提出する

e-Taxの申告ができないのなら、税務署窓口へ提出しましょう（税務署以外にも駅周辺や市役所などに出張所が設置される場合がある）。書類の不備がないかその場でチェックしてくれるので、今後の申告の参考になります。また、書類の誤記載もその場で指摘してくれることもあります。

なお、提出期限間際は大変混み合うことがあるので、早めに提出しましょう。

方法Ｃ 郵送する

郵送での提出は、**提出日の記録を残すため、書留または特定記録郵便で送付**しましょう。書類に不備があった場合には再提出しなければなりませんので、郵送の場合だと、その連絡に時間がかかることがあります。

 e-Taxでの電子申告なら作業を省力化できる。青色申告特別控除65万円などメリットもたくさん。

 所得税の納付・還付金の受け取り

所得税の納付が必要な場合、申告書の提出期限と同じ3月15日が納付期限になっています。納付方法は次の3通りあります。なお、還付金がある場合は、確定申告書第一表「還付される税金の受取場所」に記載した金融機関の口座に振り込まれます。

方法Ⓐ 口座振替による納税

　金融機関の預貯金口座から自動振替で納税する方法です。この方法を利用する場合は**納税の期限までにあらかじめ口座振替の依頼書を提出する必要**があります。いったん振り替えによる納税を行うと、次年度以降も自動振替になります。なお、口座振替の依頼書（預貯金口座振替依頼書兼納付書送付依頼書）は国税庁のホームページからダウンロードすることもできます。振替口座のある金融機関の銀行印が必要です。振替日は例年4月20日頃です。

方法Ⓑ 金融機関や税務署で納付

　納付書に現金をそえて金融機関や税務署で納付する方法です。納付書は税務署や金融機関の窓口にも用意されています。

方法Ⓒ 電子納税

　インターネットバンキングなどによって電子納税をすることもできます。

　なお、クレジットカードを使った納付も可能です。詳しくは国税庁のホームページや「国税クレジットカードお支払サイト」で確認してください。

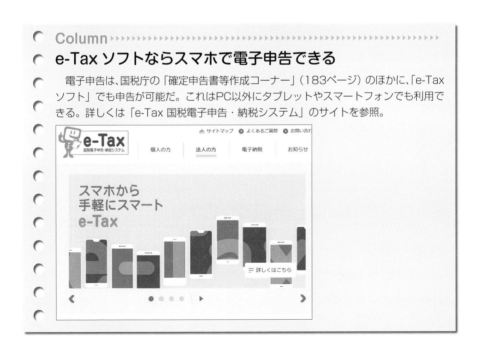

> Column ▶▶
>
> **e-Tax ソフトならスマホで電子申告できる**
>
> 　電子申告は、国税庁の「確定申告書等作成コーナー」（183ページ）のほかに、「e-Tax ソフト」でも申告が可能だ。これはPC以外にタブレットやスマートフォンでも利用できる。詳しくは「e-Tax 国税電子申告・納税システム」のサイトを参照。

⑥ 電子申告と電子帳簿保存

電子申告って難しそう……わたしにもできますか？

美容院経営
Aさん

やり方は手書きと変わりません！
節税のためにもぜひチャレンジしてください！

インターネットの接続環境を確認！

◎利用するパソコンが電子申告の推奨環境を満たしているかどうか、国税庁のe-Taxホームページで確認してください。

📅 青色申告特別控除額と基礎控除額の変更

　2020年分の所得税確定申告から個人事業主の**青色申告特別控除額**と**基礎控除額**が次のように変わりました（青色申告特別控除の適用要件は41ページを参照）。

| 青色申告特別控除額 | （改正前）65万円 ➡ （改正後）55万円 |
| 基礎控除額 | （改正前）38万円 ➡ （改正後）48万円 |

　改正後は、**e-Taxによる申告（電子申告）**または**電子帳簿保存**のいずれかを選択して適用要件を満たした場合に限り、65万円の青色申告特別控除の適用を受けることができます。

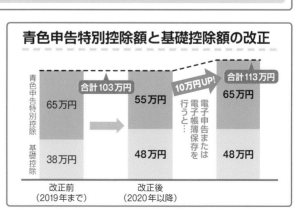

青色申告特別控除額と基礎控除額の改正

e-Taxと電子帳簿保存の選択はどうする？

●e-Taxによる申告（電子申告）を行うには

　e-Taxとは、税の申告などの手続きをインターネットを利用して行えるシステムのことです。65万円控除を受けるには、自宅のパソコンなどで**e-Taxによる確定申告書・青色申告決算書等**のデータを送信する必要があります。また、国税庁ホームページの「**確定申告書等作成コーナー**」で確定申告書・青色申告決算書等のデータを作成して送信することでも手続きできます（183ページ）。

　なお、税務署のパソコンから申告した場合は、添付書類の同時送信ができないため65万円の青色申告特別控除の適用を受けることができません。

> 会計ソフトが必ずしも電子帳簿に対応
> しているわけではないし、e-Tax 申告
> のほうが簡単なのでオススメです

e-Tax利用の流れ

❶ マイナンバーカードを取得
「マイナンバーカード総合サイト」を参照。

❷ スマートフォンまたは IC カードリーダーを用意
マイナンバーカードの読み取りに対応したスマートフォンまたは IC カードリーダーが必要。

❸ 国税庁ホームページの「確定申告書等作成コーナー」へ
確定申告書・青色申告決算書等のデータを作成して送信する。

●e-Taxの活用と電子帳簿保存法の改正

　65万円の青色申告特別控除の適用を受ける場合、個人事業主にとっては、e-Tax を活用して確定申告書と青色申告決算書を申告期限内に提出するほうが電子帳簿保存をするより簡単です。申告履歴も電子データで保存されるので、いつでも閲覧可能ですし、金融機関や補助金の申請時に書類の提出を求められた場合でも電子データで作成できます。

　電子帳簿保存を選択する場合、国税庁のホームページにある「電子帳簿等保存制度 特設サイト」を参考にしてください。

8 章

消費税の
確定申告書を作ろう

① 消費税のしくみと申告義務者

売上が1,000万円を超えると消費税の納付義務があると聞いたんですが。

飲食店経営
Iさん

課税売上高が1,000万円を超えると翌々年は課税事業者になります。また「特定期間」の売上高にも注意してください。

課税売上高の額を
要確認！

◎基準期間の課税売上高が1,000万円超の事業者は消費税を申告・納税しなければなりません。
◎その年の前年の1月1日から6月30日までの「特定期間」の課税売上高、または給与等支払額が1,000万円を超えた場合、その年から課税事業者になります。

消費税の申告が必要な事業者

消費税は、国内における商品の販売、サービスの提供などを課税対象としている税金で、税率は10％（うち地方消費税2.2％）＊です。

消費税には事業者免税点が設けられており、個人事業者の場合はその年の前々年の課税売上高が1,000万円以下の場合には、その課税期間の納税義務が免除されます。新たに事業を始めた場合には、その時点では基準期間（個人事業者の場合は課税期間の前々年）の売上はないため、原則として免税事業者になります（次ページ④参照）。なお、免税事業者であっても届出書を提出することにより課税事業者になることを選択することができます。

また、基準期間の課税売上高が1,000万円以下であっても、特定期間（個人事業者の場合は、その年の前年の1月1日から6月30日までの期間）の課税売上高と給与等支払額の両方が1,000万円を超えた場合、その年から課税事業者とならなければなりません（次ページ®参照）。

＊消費税率は、2019年10月1日より10％（消費税率7.8％ 地方消費税率2.2％、食料品等軽減税率対象品目については消費税率6.24％、地方消費税率1.76％の合計8％）となりました。

2023年10月からインボイス制度が導入されました。免税事業者の場合、課税事業者を選択するかどうかを慎重に検討する必要があります（→ 58 ページ）。

事業者免税点の適用

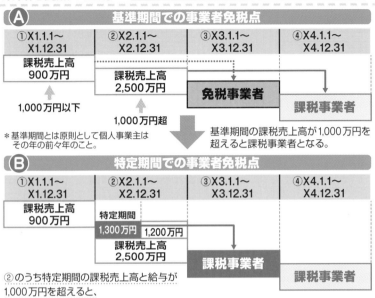

Ⓐ 基準期間での事業者免税点

①X1.1.1～X1.12.31	②X2.1.1～X2.12.31	③X3.1.1～X3.12.31	④X4.1.1～X4.12.31

課税売上高 900万円

1,000万円以下

課税売上高 2,500万円

1,000万円超

免税事業者 → 課税事業者

＊基準期間とは原則として個人事業主はその年の前々年のこと。

基準期間の課税売上高が1,000万円を超えると課税事業者となる。

Ⓑ 特定期間での事業者免税点

①X1.1.1～X1.12.31	②X2.1.1～X2.12.31	③X3.1.1～X3.12.31	④X4.1.1～X4.12.31

課税売上高 900万円

特定期間 1,300万円 1,200万円

課税売上高 2,500万円

課税事業者 　課税事業者

②のうち特定期間の課税売上高と給与が1,000万円を超えると、③の課税期間において課税事業者とならなければならない。

X1年に新規開業した場合の消費税の判定

開業年月日がX1年中の場合、X2年以降の納税義務の判定は次のとおり。

	X1年（1/1 6/30 12/31 1/1）	X2年	X3年
①	課税売上高と給与支払額 1,000万円以下／課税売上高 1,000万円以下	免税	免税※
②	課税売上高と給与支払額 1,000万円以下／課税売上高 1,000万円超	免税	課税
③	課税売上高と給与支払額 1,000万円超／課税売上高 1,000万円超	課税	課税

※ただし、X2年の1～6月の課税売上高が1,000万円超の場合は課税。

簡単税務のツボ！ 8-01

課税事業者の判定は、原則として2年前の課税売上高で行う。
1～6月の課税売上高が1,000万円超の場合は翌年も課税事業者に！

8 章　消費税の確定申告書を作ろう ── 消費税のしくみと申告義務者

215

課税事業者になったら簡易課税制度の選択を検討

消費税は、「売上にかかる消費税−仕入等にかかる消費税」で計算する**一般課税（本則課税）方式**と、簡易的な方式で計算する**簡易課税方式**があります。

簡易課税は、**基準期間の課税売上高が5,000万円以下**の場合に適用することができます。簡易課税を選択する場合には、**消費税簡易課税制度選択届出書**を提出しなければなりません（56ページ参照）。

一般課税の場合には、タクシー代や消耗品費などの小額の購入取引にかかる消費税まで計算して仕入等にかかる消費税額を計算する必要があります。

これに対して簡易課税制度は、**売上高が確定すれば、その売上高に業種区分ごとに定められた率（みなし仕入率）を乗じて仕入等にかかる消費税額等（仕入税額控除といいます）を計算することができる**ため、経理の知識が乏しい、専任の経理事務員がいないなどといった小規模事業者でも消費税の計算事務が負担とならないようなしくみとなっています。

ただし、大ざっぱな業種区分で一律に定められてしまうため、事業者ごとに不利益が発生してしまうこともあります。簡便的に計算できるけれども、一般課税方式に比べて消費税の納税が多くなってしまうケースもあるのです。

消費税の納税義務者となったら一般課税方式、簡易課税方式のどちらを選択するかの判断が必要です。**会計データをもとに簡易課税制度が有利となる（消費税の納税額が一般課税方式よりも少なくなる）と予測できた場合には、簡易課税制度選択届出書を提出しましょう。**

なお、本来は免税の事業者がインボイス登録した場合は、**2割特例、すなわち売上の請求で預かった消費税の2割を納めればよいという特例**を利用できます。この場合は、一般課税や簡易課税で税額を計算する必要はありません（67ページ参照）。

 10月頃までの会計データをもとに着地見込み、来期以降の予測をして一般課税、簡易課税どっちが有利かを判断しよう。

② 消費税がかかる取引

消費税の計算は複雑そうですね。そもそもしくみがよくわかりません

雑貨店経営 Eさん

まずは消費税の計算のしくみと税率、それと消費税がかかる取引・かからない取引の区別を覚えましょう。

軽減税率が導入された！

◎2019年10月より消費税率がアップすると同時に軽減税率制度が導入されました。個人事業主もその処理は覚えておく必要があります。

消費税率アップと軽減税率

2019年10月1日から、消費税の税率は8％から**10％**に引き上げられました。同時に、消費税の**軽減税率**制度が実施されました。これは、飲食料品や定期購読の新聞については、**標準税率10％**ではなく、**軽減税率8％**を適用するという制度です。

また、消費税は国に納める分（**消費税**）と地方に納める分（**地方消費税**）が合算されており、それぞれの税率は次のようになっています。

●消費税の税率

	2019年9月30日まで	2019年10月1日から	
		標準税率	軽減税率＊
消費税率（国への納付分）	6.3%	7.8%	6.24%
地方消費税率	1.7%	2.2%	1.76%
合　計	8.0%	10.0%	8.0%

＊軽減税率は2019年9月30日までの旧税率と同じ8％だが、消費税率と地方消費税率の割合が異なる。

軽減税率の対象品目

飲食料品（酒類・外食を除く）　　**新聞**（週2回以上発行、定期購読契約）

消費税納付額の計算

消費税には、課税される取引と課税されない取引があり（次ページ参照）、課税される売上のことを**課税売上**、課税される仕入（経費）のことを**課税仕入**といいます。一定期間中の課税売上と課税仕入を計算し、課税売上にかかる消費税額から課税仕入にかかる消費税額を差し引いた額が消費税の納付税額となります。

消費税の計算

課税売上にかかる消費税 － 課税仕入にかかる消費税 ＝ 消費税の納付額

区分経理と記載事項

軽減税率制度の適用を受ける事業者は取引によって消費税率が変わるため、軽減税率の対象品目の売上や仕入（経費）がある場合、税率ごとの区分を請求書や帳簿に記載する必要があります。これを**区分経理**といいます。

飲食料品の販売がない事業者でも区分経理が必要です。例えば、会議費や交際費として飲食料品等を購入する場合です。この場合、仕入先から交付された請求書に記載された適用税率の確認などが必要です。

請求書等への記載事項

期　間	請求書等への記載事項
2019年9月30日まで	①請求書発行事業者の氏名（名称） ②取引年月日　　③取引の内容 ④対価の額 ⑤請求書受領者の氏名（名称）
現在	上記に加えて ❻軽減税率の対象品目である旨 ❼税率ごとに合計した税込対価の額 ❽登録番号

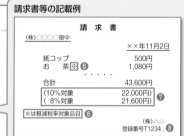

請求書等の記載例

```
              請　求　書
(株)○○○○御中
                          ××年11月2日

   紙コップ                    500円
   お　茶※ ❻             1,080円
         ・・・・・
   合計                     43,600円
  (10%対象            22,000円) ❼
  ( 8%対象            21,600円)
 ※は軽減税率対象品目 ❻
                          (株)△△
                     登録番号T1234.. ❽
```

帳簿への記載事項

期　間	帳簿への記載事項
2019年9月30日まで	①課税仕入の相手方の氏名（名称） ②取引年月日 ③取引の内容 ④対価の額
現在	上記に加えて ❶軽減税率の対象品目である旨

これまで

会議費　株式会社○○

月	日	摘　要	金　額
11	2	株式会社△△（お茶代ほか）	43,200

軽減税率制度実施後

会議費　株式会社○○

月	日	摘　要	税区分 ❶	金　額
11	2	株式会社△△（雑貨）	10%	22,000
11	2	株式会社△△（お茶代）	8%	21,600

なお、2023年10月1日からは適格請求書発行事業者（58ページ）の請求書には課税事業者の登録番号の記載が必要になります。登録を行っている事業者の情報は国税庁の「インボイス制度 適格請求書発行事業者 公表サイト」にて公表されます。

 ## 消費税がかかる取引、かからない取引

　消費税が課税される取引は次のとおりです。

❶国内において行うもの（国内取引）である。

❷事業者が事業として行う取引である。

❸対価を得て行う取引である。

❹資産の譲渡、貸付または役務の提供である。

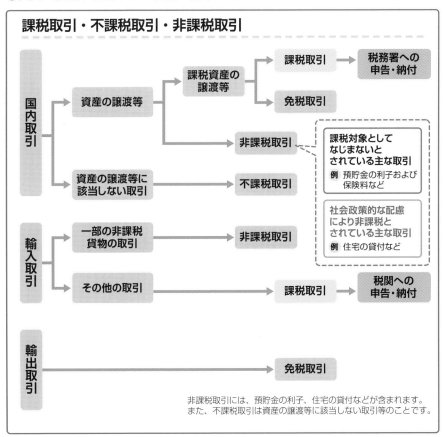

課税取引・不課税取引・非課税取引

非課税取引には、預貯金の利子、住宅の貸付などが含まれます。
また、不課税取引は資産の譲渡等に該当しない取引等のことです。

消費税の課税区分は勘定科目で判定できる

消費税の課税区分は個々の取引ごとに判定します。ただし、仕訳が正確に行われていれば、勘定科目単位で判定できるものもあります。

●貸借対照表の勘定科目

まずは貸借対照表の科目から説明します。貸借対照表で気をつけなければいけない勘定科目のうち代表的なものは次の4つです。これらの資産を購入したときは、消費税の課税取引になります。

貸借対照表で課税取引となる勘定科目の例
① 建物 　②建物付属設備・設備造作
③ 車両運搬具 　④工具器具備品

●損益計算表の勘定科目

次に、損益計算書の科目についてですが、これは貸借対照表に比べて少し複雑です。それは、消費税がかかる科目、かからない科目に一応は区分できるのですが、若干の例外があるからです。それぞれの科目について、次ページの表で確認してください。

会計ソフトを使用している場合の消費税の処理

ほとんどの会計ソフトには、科目ごとに消費税の課税・不課税・非課税が事前に登録されています。例えば、租税公課と入力すると消費税が課税されない取引、通信費と入力すると消費税が課税される取引として画面に表示されます。消費税の確定申告書も自動的に作成できますので大変便利です。

ただし、税率の異なる取引の場合は、区分入力が必要です。2023年10月1日以降は、免税事業者からの仕入取引についても区分します。

損益計算書の課税・非課税・不課税　（○：課税　×：非課税・不課税）

勘定科目	原則	例外
売　　　　上	○	土地の賃料収入、社会保険診療収入、商品券等の販売代金、住宅家賃は非課税
仕　　　　入	○	
租 税 公 課	×	
荷 造 運 賃	○	国際運賃は非課税
水 道 光 熱 費	○	
旅 費 交 通 費	○	海外渡航費や滞在費は非課税
通　信　費	○	国際電話、国際郵便料金は非課税・対象外
広 告 宣 伝 費	○	プリペイドカード等の購入費用は非課税・対象外
接 待 交 際 費	○	祝金、香典や見舞金などの慶弔見舞金、商品券、プリペイドカード等の購入費は非課税・対象外
損 害 保 険 料	×	
修　繕　費	○	
消 耗 品 費	○	
福 利 厚 生 費	○	祝金、香典や見舞金などの慶弔見舞金は対象外
給 料 賃 金	×	
外 注 工 賃	○	
利 子 割 引 料	×	
地 代 家 賃	○	住宅の賃借料、地代の支払は非課税
貸　倒　金	×	売掛金については別途、貸倒れにかかる税額控除の対象になる
雑　　　　費	○	登記・免許等の行政手数料は非課税・対象外
貸 倒 引 当 金	×	
専 従 者 給 与	×	

簡単税務のツボ！
8-03

貸借対照表の勘定科目では、減価償却対象の資産が課税対象。
損益計算書は課税・非課税の区分は上の表で確認しよう。

8章　消費税の確定申告書を作ろう｜消費税がかかる取引

③ 一般課税方式での税額の計算

消費税の計算はどのように行うのですか？

原則的な計算方法が「一般課税方式」です。
まず、この方式から説明しましょう。

衣料品店経営
Gさん

一般課税方式とは？

◎消費税の原則的な計算方式が**一般課税方式**です。この方式では、課税売上高と課税仕入高を計算する必要があります。
◎消費税がかからない非課税・不課税の取引がありますが、会計ソフトは取引の種類によって課税・非課税・不課税を自動的に判断してくれます。

消費税の申告方法には2つある

　前節で述べたように、消費税の申告方法には**一般課税方式**と**簡易課税方式**の2つがあります。原則的な計算方式は一般課税方式で、納税者が税務署に届出書を提出した場合に限り認められる特別な計算方法が簡易課税方式です。簡易課税方式の要件（216ページ参照）を満たしていない方は、すべて一般課税方式で申告することになります。

一般課税方式と簡易課税方式

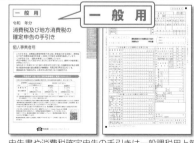

申告書や消費税確定申告の手引きは一般課税用と簡易課税用がある。

＊2割特例（67ページ）用の確定申告の手引は以下を参照。
https://www.nta.go.jp/publication/pamph/pdf/0023008-043.pdf

一般課税方式での税額の計算

　消費税の納付額は、まず国税の消費税額を計算し、その額を元に地方消費税を計算して、それぞれを合算します。

消費税の納付額の計算方法

Ⓐ　消費税額（国税）の計算

$$消費税額 = \boxed{課税売上にかかる消費税額 \ A\text{-}1} - \boxed{課税仕入にかかる消費税額 \ A\text{-}2}$$

Ⓑ　地方消費税額の計算

$$地方消費税額 = \boxed{消費税額（Ⓐ の消費税額）} \times \frac{22}{78}$$

Ⓒ　納付税額の計算

$$納付税額 = \boxed{Ⓐ の消費税額} + \boxed{Ⓑ の地方消費税額}$$

A-1　課税売上にかかる消費税額

課税売上にかかる消費税額は、軽減税率分と標準税率分とに区分した課税標準額にそれぞれの税率を掛けて計算したものを合算します

①課税売上にかかる消費税額（軽減税率分）＝ 軽減税率の対象となる課税売上の合計額（税込）$\times \dfrac{100}{108} \times \dfrac{6.24}{100}$

②課税売上にかかる消費税額（標準税率分）＝ 標準税率の対象となる課税売上の合計額（税込）$\times \dfrac{100}{110} \times \dfrac{7.8}{100}$

③課税売上にかかる消費税額 ＝ ① ＋ ②

A-2　課税仕入にかかる消費税額

課税仕入にかかる消費税額も、軽減税率分と標準税率分とに区分した課税標準額にそれぞれの税率を掛けて計算したものを合算します

①課税仕入にかかる消費税額（軽減税率分）＝ 軽減税率の対象となる課税仕入の合計額（税込）$\times \dfrac{6.24}{108}$

②課税仕入にかかる消費税額（標準税率分）＝ 標準税率の対象となる課税仕入の合計額（税込）$\times \dfrac{7.8}{110}$

③課税仕入にかかる消費税額 ＝ ① ＋ ②

一般課税方式での税額の計算例

例（＊すべて税込）

売上（軽減税率適用）	16,200,000円
売上（標準税率適用）	22,000,000円
仕入・経費等 （軽減税率適用）	14,040,000円
仕入・経費等 （標準税率適用）	17,600,000円

A-1 課税売上にかかる消費税額を計算する

①軽減税率分 $= 16{,}200{,}000 \times \dfrac{100}{108} \times \dfrac{6.24}{100} = 936{,}000$円

②標準税率分 $= 22{,}000{,}000 \times \dfrac{100}{110} \times \dfrac{7.8}{100} = 1{,}560{,}000$円

③課税売上にかかる消費税額 ＝ ① ＋ ② ＝ 2,496,000円

A-2 課税仕入にかかる消費税額を計算する

①軽減税率分 $= 14{,}040{,}000 \times \dfrac{6.24}{108} = 811{,}200$円

②標準税率分 $= 17{,}600{,}000 \times \dfrac{7.8}{110} = 1{,}248{,}000$円

③課税仕入にかかる消費税額 ＝ ① ＋ ② ＝ 2,059,200円

消費税額（国税）＝ **A-1** － **A-2** ＝ 436,800円

B 地方消費税額を計算する

地方消費税額 $= 436{,}800$円 $\times \dfrac{22}{78} = 123{,}200$円

C 納付税額を計算する

納付税額＝国税の消費税額436,800円＋地方消費税額123,200円
　　　　＝560,000円

＊2023年10月1日以降は免税事業者からの仕入税額控除額の計算が異なる。60ページを参照。

旧消費税率の適用がある場合の仕入税額控除額の計算

2020年分以降の消費税を申告する場合は、標準税率10％の取引と軽減税率8％の取引とに区分して計算する必要があります。売上も仕入も同じように2種類の税率で計算するのですが、リース契約で2019年3月31日以前の契約によるリース料の支払いがある場合には、次の経過措置の適用対象となることがあります。

●経過措置の内容

2019年3月31日までの間に締結したリース契約で、契約の内容が一定の要件を満たす場合のリース料については、旧税率（8％、国税6.3% 地方税1.7%）が適用されるケースがあります。この場合にはリース会社から旧税率の適用がある旨が書面で通知されることになっています。わからない場合はリース会社に問い合わせてみましょう（みなさんにはほとんど関係ないと思いますが、さらに古い税率のリース契約がある場合を想定して仕入税額控除額の計算表には3％や4％の計算欄が設けられています）。

ただし、2019年4月1日以後にリース契約の対価の額の変更が行われた場合、当該変更後におけるリースに契約ついては、この経過措置は適用されません。

経過措置の適用がある場合には、仕入税額控除の計算過程において、以下のような処理が必要となります（一般課税方式の場合。）

①国税の消費税（標準税率7.8％）
$$課税仕入高（税込）× \frac{7.8}{110}$$

②国税の消費税（軽減税率6.24％）
$$課税仕入高（税込）× \frac{6.24}{108}$$

③国税の消費税（旧税率6.3％）
$$課税仕入高（税込）× \frac{6.3}{108}$$

④仕入税額控除額
$$①＋②＋③$$

○ **Column** ▸▸▸

課税仕入等にかかる消費税額の計算方法

課税売上にかかる消費税額から控除する課税仕入等にかかる消費税額（仕入控除税額）の計算方法は、

①課税期間中の課税売上高が5億円以下かつ課税売上割合が95％以上であるか、

②課税期間中の課税売上高が5億円超または課税売上割合が95％未満であるか

により異なります。

①の場合 ➡ 課税期間中の課税売上にかかる消費税額から、その課税期間中の仕入控除税額の全額を控除します。

②の場合 ➡ 仕入控除税額の全額を控除するのではなく、課税売上に対応する部分のみを控除します。

仕入控除額の計算には（ア）個別対応方式と（イ）一括比例配分方式があり、何もしなければ個別対応方式が適用されます。詳しくは国税庁のホームページを参照してください。

④ 簡易課税方式での税額の計算

一般課税方式は計算が面倒で時間がかかるのですが……。

消費税計算の事務負担を減らせる、簡易課税方式を検討してみましょう。

飲食店経営
Iさん

簡易課税方式とは？

◎面倒な課税仕入の計算を省くことができる**簡易課税方式**は個人事業者にはオススメです。ただし、届出書を提出しなければ適用できません。

簡易課税方式はあくまでも特例

　簡易課税方式は、中小事業者における消費税計算の事務負担を軽減するために設けられた**課税方式**です。「原則は一般課税方式で、特例として簡易課税方式がある」と考えてください。あくまでも特例で、前に述べたように簡易課税方式を適用できるのは次の2つの要件を満たしている方だけです。

簡易課税方式の2つの要件

要件1 前々年の課税売上高が5,000万円以下である。

要件2 所定の期日*までに消費税簡易課税制度選択届出書を提出している。

＊届出期間は56ページを参照。

X1年1.1〜X1年12.31 （基準期間）	X2年1.1〜X2年12.31	X3年1.1〜X3年12.31 （課税期間）
課税売上高		
5,000万円超 →→→		簡易課税制度適用不可
5,000万円以下 →→→		簡易課税制度適用可

前述しましたが、**この簡易課税方式については、一般課税方式での税額と比較して、より税額が少なくなる方法を選択して申告する**、といったことが行われています。つまり、合法的な節税のために、簡易課税方式が使われているのが実情です。ただし、この簡易課税方式を選択した場合には、**原則として2年間は継続適用**しなければならないので、慎重に判断してください。

簡易課税方式での税額の計算

簡易課税方式での課税仕入にかかる消費税額は、課税売上にかかる消費税額に事業に応じた一定の**みなし仕入率**を掛けて計算します。

消費税の納付額の計算方法

A 消費税額（国税）の計算

消費税額＝課税売上にかかる消費税額 － 課税仕入にかかる消費税額

B 地方消費税額の計算

地方消費税額＝消費税額（**A**の消費税額）× $\dfrac{22}{78}$

C 納付税額の計算

納付税額＝**A**の消費税額＋**B**の地方消費税額

課税売上にかかる消費税額

課税売上にかかる消費税額は、軽減税率分と標準税率分とに区分した課税標準額にそれぞれの税率を掛けて計算したものを合算します

①課税売上にかかる消費税額（軽減税率分）＝軽減税率の対象となる課税売上の合計額（税込）× $\dfrac{100}{108}$ × $\dfrac{6.24}{100}$

②課税売上にかかる消費税額（標準税率分）＝標準税率の対象となる課税売上の合計額（税込）× $\dfrac{100}{110}$ × $\dfrac{7.8}{100}$

③課税売上にかかる消費税額 ＝ ① ＋ ②

課税仕入にかかる消費税額

課税仕入にかかる消費税額は、課税売上にかかる消費税額に事業に応じた一定のみなし仕入率を掛けて計算します

課税仕入にかかる消費税額 ＝ 課税売上にかかる消費税額 ×みなし仕入率

みなし仕入率による消費税額の算出

みなし仕入率は、次の6つの事業区分ごとに定められています。

みなし仕入率

事業区分		該当する事業	みなし仕入率
第1種事業	卸売業	購入した商品を性質・形状を変更しないで、事業者に販売する事業	90%
第2種事業	小売業	購入した商品を性質・形状を変更しないで、消費者に販売する事業	80%
第3種事業	農林水産業・鉱業・建設・製造・電気等	農業・林業・漁業・鉱業・建設業・製造業・製造小売業・電気業・ガス業・熱供給業・水道業など	70%
第4種事業	その他	第1種・第2種・第3種・第5種・第6種以外（飲食業等）	60%
第5種事業	運輸通信・金融保険・サービス業	運輸通信業・金融業・保険業・サービス業（飲食店に該当する事業を除く）	50%
第6種事業	不動産業	―	40%

 # 取引ごとに適用するみなし仕入率を決定する

簡易課税方式で注意しなければならないのは、**取引ごとに適用するみなし仕入率を決定する**ことです。例えば、小売店の売上がすべて第2種になるのではなく、販売先が消費者の売上は「第2種事業」、事業者の売上は「第1種事業」になるのです。例えば、町の八百屋さんが飲食店に野菜を卸していた場合は、

○消費者への売上 小売業 第2種 80%　○飲食店への売上 卸売業 第1種 90%

のように区分して納付する税額を計算します。

なお、**複数の事業区分の売上がある場合、1種類の事業の課税売上高が全体の課税売上高の75%を占めるときは、その事業のみなし仕入率を全体の課税売上に対して適用できる**、といった特例があります。詳しくは国税庁のホームページを参照してください。このように、複数の事業区分の売上がある場合、注意が必要です。

簡単な事例で消費税額を計算してみる

簡単な事例を使って消費税がいくらになるか考えてみましょう。金額はすべて税込とします。

簡易課税方式での税額の計算例

例 小売業の場合（すべて税込）

売上（軽減税率適用）	16,200,000円
売上（標準税率適用）	22,000,000円

A-1 課税売上にかかる消費税額を計算する

①軽減税率分＝$16{,}200{,}000 \times \dfrac{100}{108} \times \dfrac{6.24}{100}$＝**936,000円**

②標準税率分＝$22{,}000{,}000 \times \dfrac{100}{110} \times \dfrac{7.8}{100}$＝**1,560,000円**

③課税売上にかかる消費税額 ＝ ① ＋ ② ＝**2,496,000円**

A-2 みなし仕入率を掛けて課税仕入にかかる消費税額を計算する

$2{,}496{,}000 \times 80\%$＝**1,996,800円**

消費税額（国税）＝ **A-1** − **A-2** ＝**499,200円**

B 地方消費税額を計算する

地方消費税額＝$499{,}200円 \times \dfrac{22}{78}$＝**140,800円**

C 納付税額を計算する

納付税額＝国税の消費税額499,200円＋地方消費税額140,800円
　　　　＝**640,000円**

⑤ 消費税の確定申告書を作ろう

消費税の確定申告書の書き方がわからないんですが……。何からスタートしたらいいんでしょうか？

美容院経営
Aさん

まず、課税取引金額計算表を作りましょう。消費税の確定申告書はこの計算書から数字を転記するだけです。

消費税の確定申告書を
効率的に作成するには？

◎消費税の確定申告書の作成は「**課税取引金額計算表**」への書き込みからはじめましょう。

◎次に「**課税売上高計算表**」で課税売上高を計算し、「**課税仕入高計算表**」で仕入控除税額を計算します。

◎最後に確定申告書にこれらを転記して終了です！

まず課税取引金額計算表を作成する

それでは、実際に消費税の確定申告書を作ってみましょう。記入の難しい一般課税方式について説明します。

消費税の確定申告の作成は課税取引金額計算表への書き込みから始めましょう。これは提出する必要はありませんが、税額を計算するうえで便利ですのでぜひ利用してください。**同じフォーマットをExcelなどの表計算ソフトで作成しておくと毎年使えます**。

課税取引金額計算表の記入が終われば、あとは数字を転記していくだけです。税務署のパンフレットを参考に、課税売上高計算表、課税仕入高計算表、消費税及び地方消費税の申告書（一般用）を作成しましょう。

なお、国税庁のサイト「確定申告書等作成コーナー」（183ページ）では、消費税の確定申告書も作成できます。

簡単税務のツボ！
8-04

消費税事務を軽減するために、課税取引金額計算表を参考に表計算ソフトでフォーマットを作っておこう。

元帳などで消費税がどう適用されるかを記しておく

　決算の方法には特に定めはありませんが、勘定科目ごとにその期の合計額のほかに、次のような課税・免税・非課税取引ごと合計額、また課税取引では、税率別の合計額を記載しておくと、課税取引金額計算表の作成が簡単になります。

　なお、消費税の**軽減税率**は旧税率と同じ8％ですが、国に納める分（**消費税**）の税率と地方に納める分（**地方消費税**）の税率が異なるので、下の図のように区分経理をする必要があります。

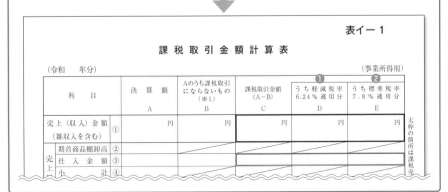

元帳で税率別、取引別に合計額を記載する

【元帳】
売 上

20XX年 月　日	摘要	借方	貸方
	年間計		20,000,000
	うち8％対象（軽減税率）		2,500,000
	うち10％対象（標準税率）		17,500,000
	うち免税		0
	うち非課税		0
	うち不課税		0

【元帳】
仕 入

20XX年 月　日	摘要	借方	貸方
	年間計	15,000,000	
	うち8％対象（軽減税率）	1,200,000	
	うち10％対象（標準税率）	13,800,000	
	うち免税	0	
	うち非課税	0	
	うち不課税	0	

課税取引・免税取引・非課税取引・不課税取引に分類し、課税取引は
❶ 20XX年1月1日〜12月31日までの軽減税率
❷ 20XX年1月1日〜12月31日までの標準税率
の2つに区分して売上と仕入の合計額を記載する

表イ−1

課 税 取 引 金 額 計 算 表

（令和　　年分）　　　　　　　　　　　　　　　　　　　　　（事業所得用）

科　　目	決 算 額 A	Aのうち課税取引 にならないもの （※1） B	課税取引金額 （A−B） C	❶ うち軽減税率 6.24％ 適用分 D	❷ うち標準税率 7.8％ 適用分 E
売上（収入）金額 （雑収入を含む）①	円	円	円	円	円
期首商品棚卸高②					
仕 入 金 額③					
小 　 計④					

太枠の箇所は課税売

消費税の確定申告　作成手順

国税庁のサイト「確定申告書等作成コーナー」（183 ページ）で決算処理をしてから「課税取引金額計算表」に転記する内容を画面の案内どおりに入力すれば、消費税確定申告書が作成できます

❶ 課税取引金額計算表の作成　　元帳や決算書から取引別の合計額を記載する。

表イー1

課 税 取 引 金 額 計 算 表

（令和　　年分）　　　　　　　　　　　　　　　　　　　　　　　　　（事業所得用）

科　　目	決　算　額 A	Aのうち課税取引にならないもの（※1） B	課税取引金額（A−B） C	うち軽減税率6.24％適用分 D	うち標準税率7.8％適用分 E	
売上（収入）金額（雑収入を含む）①	円	円	円	円	円	太枠の箇所

❷ 課税売上高計算表の作成　　課税売上高の合計額と課税標準額を計算する際に使われる表。課税取引金額計算表の内容を転記してから、それぞれの税率で課税標準額を計算する。

表ロ

課 税 売 上 高 計 算 表

（令和　　年分）

(1) 事業所得に係る課税売上高		金　　額	うち軽減税率6.24％適用分	うち標準税率7.8％適用分
営業等課税売上高	①	表イ-1のIc欄の金額	表イ-1のID欄の金額 円	表イ-1のIE欄の金額 円
農業課税売上高	②	表イ-2のIc欄の金額	表イ-2のID欄の金額	表イ-2のIE欄の金額

❸ 課税仕入高計算表の作成　　課税仕入高の合計額と課税標準額を計算する際に使われる表。課税取引金額計算表の内容を転記してから、それぞれの税率で課税標準額を計算する。

表ハ

課 税 仕 入 高 計 算 表

（令和　　年分）

(1) 事業所得に係る課税仕入高		金　　額	うち軽減税率6.24％適用分	うち標準税率7.8％適用分
営業等課税仕入高	①	表イ-1のIc欄の金額	表イ-1のID欄の金額 円	表イ-1のIE欄の金額 円
農業課税仕入高	②	表イ-2のIc欄の金額	表イ-2のID欄の金額	表イ-2のIE欄の金額

❹ 付表の作成

付表とは、消費税確定申告書に転記するための計算表のこと。課税売上高計算表や課税仕入高計算表の数字を転記する。

❺ 確定申告書の作成

付表の数字を確定申告書に転記して完成。確定申告書には第一表と第二表の2つがある。

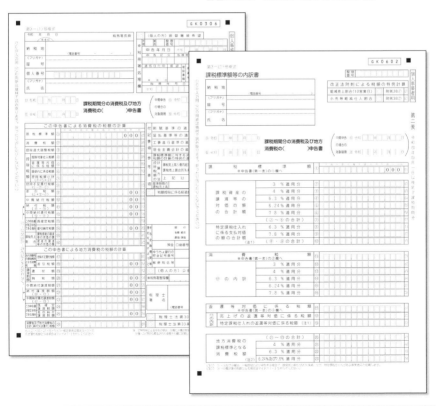

消費税の確定申告書の提出

　消費税の確定申告と納税の期限は3月31日です。所得税の確定申告の期限である3月15日とは異なります。なお、提出する書類は次の通りです。

①消費税及び地方消費税の確定申告書（一般課税用もしくは簡易課税用）

②付表２　課税売上割合・控除対象仕入税額等の計算表

　申告書に記入する際に使った計算書は提出する必要はありませんが、他の証ひょう類といっしょに保管しておきましょう。

 ## 消費税の納付方法

　消費税の納付方法は次の３通りあります。

> ### 消費税の納付方法
>
> **方法A** **電子納税（e-Tax で納税）**
>
> インターネットバンキングなどを利用して納税する方法です。なお、クレジットカードを使った納付も可能です。詳しくは国税庁のホームページや「国税クレジットカードお支払サイト」で確認してください。
>
> **方法B** **口座振替による納税**
>
> 金融機関の預貯金口座から自動振替で納税する方法です。この方法を利用する場合は納税の期限までにあらかじめ口座振替の依頼書を提出する必要があります。いったん振り替えによる納税を行うと、次年度以降も自動振替になります。振替日は例年 4 月 25 日頃です。
>
> **方法C** **金融機関や税務署で納付**
>
> 納付書に現金をそえて金融機関や税務署の窓口で納付する方法です。納付書は税務署や金融機関の窓口にも用意されています。

　納付が期限に遅れた、振替納税の口座残高が不足していた、といった場合は納付期限の翌日から納付日までの延滞税がかかりますから、注意しましょう。

あとがき

●帳簿の重要性を再確認しましょう

最後まで本書を読んでいただきありがとうございます。読者のみなさんにお伝えしたいことは、他にもたくさんあるのですが、開業から決算と申告までの解説はここで終了です。帳簿をつけることの大切さは、ご理解いただけたことと思います。日次、月次の決算もきちんと実行できていることでしょう。

ここまで読み進んだあなたは次の内容はしっかり理解できているでしょうか。

① 帳簿作成は決算のためにも、儲けを計算するためにも必要であること
② 総勘定元帳は金額のみの表示で、その計算過程は表示されていないこと
③ 日々の売上の詳細は、帳簿とは別の形式でのデータ作成が必要であること
④ 上記③を有効活用することで戦略的経営が可能になること

事業継続のためには、どんぶり勘定ではいけません。ちゃんと儲かるしくみになっているかを確認するためにも、日次、月次の決算は必須です。

帳簿の重要性もデータ作成のことも理解はしているけれど、日々の業務に追われてデータ作成まではできていない、という方もいるでしょう。何でもかんでもパソコンで処理すればいいというものではありませんが、手作業でのデータ作成には限界があります。

毎日閉店後に手書きで日報を作成していた、ある飲食店オーナー。売上金額と客数を把握することで精一杯でした。わたしからの「オーダーシステムとレジをＩＴ化してみましょうか？」という提案で、導入決定。少額の設備投資でわずらわしい日報の作成からも解放され、詳細な売上データを入手し活用できるようになりました。データ作成で困っている方は、ＩＴ導入も検討してみましょう。

●頑張る中小企業を応援したい人たちがいる

現代は、スモールビジネスの時代といわれています。雇われない生き方を選択した結果、思い通りのビジネスを展開するのが最初の目標です。

「経営者は孤独な稼業ときたもんだ」…昔のヒット曲の一節ではありませんが、経営者は、苦しんだり悩んだりすることで成長するのです。思い通りにならないことだってたくさんあります。困ったときには、本やインターネットで調べる、同業者の先輩や友人、身内に相談するなど、さまざまな手段があります。しかし、どんなに困っていても、資金繰りなどの話となると、同業者や身内には相談しにくいものです。そうなのです、経営者は孤独なのです。だからこそ、早いうちから頼りになるブレーンを見つける準備が必要なのです。

困ったときには迷わず、専門家の力を借りることにしましょう。取引のある金融機関や地元の税理士会などで紹介してもらうことができます。何人かと面談して相性の良い人と顧問契約…がお勧めです。親身になって応援してくれる、そしてビジネスパートナーにふさわしい専門家がきっと見つかりますよ。

近い将来、株式会社を設立して法人化を考えている方もいるでしょう。この法人化のタイミングや分岐点の判断は見極めが難しいのです。所得税、消費税、法人税等の関係を理解していないと想定外の税負担が発生する可能性もあります。法人化を考えている方は、とくに早めに税理士に相談してください。

●経営理念を考えよう…「お金を目的にしない…という言葉の本質」

「ビジネスは金儲けか？」この答えはYesでもあり、Noでもあります。生きるためにも商売にもお金は必要不可欠です。お店や会社を大きくするために、先行投資のための資金が必要なことは誰でも知っています。では、何のためにお店や会社を大きくしたいのでしょうか？　もっとたくさんのお金を手にするため…。ではその目標額のお金を手に入れたらその次は何をしたいのですか？　事業計画は、売上や利益の目標額を決めて作成します。来年も再来年も目標金額を設定します。つまりお金は目的を達成するためのツール（道具）であり、目標にすること自体は問題ありません。ですが、「お金が目的」となってはいけないのです。

私がお客様と顧問契約をするときには、経営理念を決めていただくことにしています。経営理念は、経営目的そのもの、または目的に到達するための心構えです。私は、事業規模の大小にかかわらず、経営理念は欠かせないものだと考えています。あなたのもとに集まった人達が同じ目的に向かって進むことで、人も組織も成長するのです。事業の成長に合わせて、強くたくましい筋肉質な組織となっていく必要があり、そのためにも経営理念が重要なのです。

ヒト、モノ、カネ、情報を経営資源といいます。この順序には意味があり、ヒトが最初なのです。いくらお金があっても、設備が整っていてもヒトが成長しないと組織は機能しません。あなたといっしょに目的を達成しようという意識を持ったヒト、組織となることが大切なのです。経営理念を共有することで心を一つにすることができるでしょう。

さらに、大切なこと…あなた自身の健康に注意です。体調管理も経営者の仕事です。働きすぎ、頑張りすぎは禁物。体と心に余裕を持ちましょう。

いつも「笑顔」と「おもてなしの心」を忘れずに、経営を楽しんでください。

青木茂人

さくいん

■著者紹介

青木茂人（あおきしげと）

1962年生まれ。中央大学商学部卒業後、学校法人大原簿記学校税理士科講師、会計事務所勤務を経て、1992年税理士登録。1995年に独立。現在は、農業、畜産、漁業など第一次産業と飲食店を中心にコンサルタントとして活動中。AFP。日本政策金融公庫 農業経営アドバイザー試験合格者。主著：『小さな会社の給与計算と社会保険』（ナツメ社）ほか。

編集協力：税理士法人センチュリーパートナーズ　齋藤 一生

本書に関する正誤等の最新情報は、下記のURLをご覧ください。

https://www.seibidoshuppan.co.jp/support/

※上記アドレスに掲載されていない箇所で、正誤についてお気づきの場合は、書名・発行日・質問事項・氏名・住所・FAX番号を明記の上、成美堂出版まで郵送またはFAXでお問い合わせください。お電話でのお問い合わせは、お受けできません。
※内容によっては、ご質問をいただいてから回答を郵送またはFAXで発送するまでお時間をいただく場合もございます。また、法律相談、税務相談等は行っておりません。
※本書の正誤に関するご質問以外にはお答えできません。
※ご質問の受け付け期限は2025年11月末日必着となります。

個人事業の経理と節税 '25年版

2024年12月10日発行

著　者　青木茂人
　　　　あおきしげと

発行者　深見公子

発行所　成美堂出版
　　　　〒162-8445　東京都新宿区新小川町1-7
　　　　電話(03)5206-8151　FAX(03)5206-8159

印　刷　大盛印刷株式会社

©Aoki Shigeto 2024　PRINTED IN JAPAN
ISBN978-4-415-33507-0